隐蔽战线春秋书系·传记卷

山路漫漫
项与年的革命生涯

卢运泉 李立维◎著

中共党史出版社

图书在版编目(CIP)数据

山路漫漫:项与年的革命生涯/卢运泉,李立维著. —北京:中共党史出版社,2018.4(2022.11 重印)
(隐蔽战线春秋书系. 传记卷)
ISBN 978-7-5098-4584-4

Ⅰ.①山… Ⅱ.①卢… ②李…Ⅲ.①项与年(1894—1978)—传记
Ⅳ.①K827=7

中国版本图书馆 CIP 数据核字(2018)第 046346 号

出版发行:中共党史出版社
责任编辑:吴江
复　　审:潘鹏
终　　审:汪晓军
责任校对:龚秀华
责任印制:段文超
责任监制:贺冬英
社　　址:北京市海淀区芙蓉里南街6号院1号楼
邮　　编:100080
网　　址:www.dscbs.com
经　　销:新华书店
印　　刷:北京盛通印刷股份有限公司
开　　本:170mm×240mm　1/16
字　　数:130 千字
印　　张:8.75
印　　数:14111—17110 册
版　　次:2018 年 4 月第 1 版
印　　次:2022 年 11 月第 5 次印刷

ISBN 978-7-5098-4584-4
定　　价:20.00 元

项与年（1896—1978）

1934年9月底，蒋介石对中央苏区的第五次“围剿”已到了关键时刻。中国工农红军在“左”倾错误指挥下，用“短促突击”战法同敌人死打硬拼，拼消耗、拼子弹、拼人力，结果损失惨重，根据地在一天天地缩小。面对英勇顽强的工农红军，投入了五十万以上兵力“围剿”不足十万兵力的中央根据地红军，并计划在三个月内消灭“赤匪”的蒋介石，在“围剿”了一年之后，不但远远没有剿灭“赤匪”，还因日本帝国主义占领东三省，进而侵入大半个华北，引起了全国民众对蒋介石不抗日专反共的行径越来越大的愤慨。面对巨大压力，蒋介石必须尽快摆脱这种困境。蒋介石在庐山牯岭召开了高级将领绝密军事会议，妄图用速决战和堡垒主义战略战术，尽快把红军消灭在根据地内。

在这危急关头，一份关于蒋介石“铁桶围剿”计划的绝密电报从德安发往党中央。接着又从德安走来一位身材高大的青年，把自己打扮成乞丐，日夜兼程赶往瑞金，把蒋介石的军事部署、进攻路线、兵力分布的详细内容送达党中央。党中央果断决定乘敌人包围圈合拢之前跳出去，进行战略大转移。一周后，中国工农红军踏上了二万五千里漫漫征程。

这位被毛泽东在长征途中提到的立下功勋的搞情报的同志，多年来一直鲜为人知。他就是本书的主人公、原中央特科的骨干和我党隐蔽战线上的尖兵——项与年。

|| 丛书前言 ||

章百家

中国共产党领导的新民主主义革命，既有公开战场的博弈，又有隐蔽战线的较量。公开战场和隐蔽战线相互配合，相互支持，相得益彰，奏响了中国革命的一曲曲凯歌。正如毛泽东指出的：要战胜敌人必须打两种战争，一种是公开战争，一种是隐蔽战争。隐蔽战争有战略进攻，派人打入敌人的内心；也有战略防御，保卫自己。要打败敌人须内外夹攻，所以两者都有同样的意义。

党的隐蔽战线随着党的发展而发展，随着党的壮大而壮大。在白色恐怖笼罩的危急关头，周恩来领导创建了党的第一个专门情报保卫机构——中央特科，培养和造就了一批隐蔽战线的杰出领导人和业务骨干，为保卫党中央机关和领导人的安全作出了特殊贡献。中央苏区时期，在中央和各主要苏区创立的政治保卫工作，对配合苏区工农红军粉碎敌人的“围剿”，发展和巩固苏维埃政权，纯洁红军队伍作出了特殊贡献。长征途中，红军情报侦察部门及时获取敌人往来的电报，使中央指挥机关能够及时了解敌人的军事行动部署，避实就虚，屡出奇兵，摆脱围追堵截，胜利实现了伟大战略转移。红军到达陕北后，在争取西安事变和平解决，促成抗日民族统一战线形成的过程中，隐蔽战线发挥了关键作用。抗日战争时期，中央先后成立了中央社会部和中央情报部，隐蔽战线斗争进入了专业化的成熟期。我情工人员深入日伪党政机构，获取了日伪大量军政战略情报和国民党消极抗日积极反共的情报，对配合抗日战争的胜利起了重要作用。解放战争时期，我党我军的情报保卫工作得到了更加深入广泛的发展。我情工人员深入到国民党机密决策指挥机关内，及时准确地供给了党中央和军委及各地区战略性和动向性的重要军政情报，为中央制定解放战争的战略方针提供了重要依据，使我军在解放战争中对敌人的主要情况了如指掌，始终掌握了战争的主动权。毛泽东评价这个时期“我们的情报工作是最成功的”。

艰苦卓绝的隐蔽战线斗争造就了一大批无名英雄。他们有的大智大勇，运筹帷幄，决胜千里；有的深入虎穴，与敌周旋，获取情报；有的舍生取义，面对严刑，视死如归；有的潜伏敌营，长期经营，率部起义；有的忠诚可靠，周密安排，确保党中央安全；有的巧妙应对，冲破封锁，保证交通线畅通。一代代无名英雄赤胆忠心，赴汤蹈火，用忠诚与信仰铸就了中华民族的无名丰碑；一个个共产党人不忘初心，牢记使命，用热血和生命锤炼出薪火相传的红色基因。他们在斗争中表现出了坚定的革命理想信念、大无畏的革命英雄主义精神、敢于斗争敢于胜利的英雄气概、高超灵活的对敌斗争艺术、艰苦奋斗和严谨细致的工作作风、甘于无名甘于奉献的高尚情操，这些凝聚成了隐蔽战线精神特质：胜而不骄，败而不馁，受气不叫，有苦不说，舍己救人，冒险犯难，埋头苦干。

毛泽东曾经说过：今后革命胜利了应该给我们情报战线的无名英雄们发一个大大的奖章。很多无名英雄没能盼来这枚奖章就早早地离开了我们。他们的名字无人知晓，但他们的功绩永世长存！徐向前曾指出：“我们的党史、军史有一个重大缺陷，就是对情报工作反映不够。”近年来，可以看到一些公开出版的反映隐蔽战线的史料、传记，但总的来说还不是很丰富，与隐蔽战线建立的功勋还不相称。这套《隐蔽战线春秋书系》分“传记卷”、“回忆录卷”和“史述卷”，比较全面地反映了隐蔽战线的历史和无名英雄的精神。既是对老一辈隐蔽战线英雄的深切怀念和告慰，也可以作为新时代国安干警的教育读本，让一代新人了解历史，传承基因，所以是很有价值的。

（作者为中国中共党史人物研究会副会长）

|| 序 ||

项与年出生在闽西山区一个普通的农民家。从青年时代起，他就以自己的叛逆性格和改变贫困山区的决心，走出山村，走向海洋。

项与年在20年代初就参加了革命，1925年加入中国共产党，是闽西最早的党员。这本《山路漫漫》，反映了项与年传奇式的革命生涯。

他参加过轰轰烈烈的北伐战争。

他下过南洋，在加里曼丹开展工人运动，建立党组织，同荷兰殖民主义者展开了激烈的斗争。

他被荷兰殖民主义者驱逐回国后，经组织调进中央特科"红队"，勇敢机智地严惩了出卖革命的叛徒。

他在白色恐怖弥漫全国的险恶环境中，穿梭于上海、南京、南昌、香港、天津、西安、北平之间，长期从事地下斗争。

他最为辉煌的一页，是他和战友在获得庐山会议"剿共计划"这一重要情报后，为了及时送到中央苏区，敲掉门牙，扮成乞丐，穿越重重封锁线，日夜兼程，把这一关系到革命全局的重要情报及时送到瑞金，亲自交到周恩来手中。其时，正处在红军实行战略大转移的前夜。

长期的地下斗争，把项与年塑造成一个机智勇敢、沉着坚定、不事张扬、不怕任何困难的共产主义战士。

我和项与年是很有"缘分"的。项与年在结束了长期的白区工作之后，于1938年进抗大和中央党校学习，然后被先后任命为中共三边分区党委常委、关中分区党委常委书记和绥德地委常委兼统战部长。那时我正好有幸担任关中分区党委书记和绥德地委书记。两次共事，使我们之间的革命友谊和互相了解得以不断加深。他是一个见多识广、襟怀坦白、善与人同的同志。由他来协助地委做好西北地区的民族团结工作和国民党中上层军官的争取工作，是很合适、很得力的。他当时在这方面倾注了全部精力。

抗战胜利后，项与年响应党中央号召，到东北解放区工作。从那以后，我们虽然还偶有来往，但见面的机会就少了。后来我听说他在“文化大革命”中受尽了折磨，被戴上莫须有的“叛徒”帽子，开除党籍，遣送回闽西山村，过着流放生活。

封闭的山村生活，使他感到孤独和苦恼，他只能拖着年老多病的身躯，偶而作点农村调查。当他发现山村周围的人还是那么贫穷和落后时，这个为革命奋斗了半个多世纪的老人，经常抑制不住内心的痛楚。

经过组织反复调查，终于证明项与年不是叛徒，而是多次受过党中央表扬的好同志，因而给他平了反，恢复了名誉。他把补发的工资和仅有的一点积蓄，买了一台发电机组，给小小山村的每家农户带来了光明。当他发现只能给养育自己的山村尽这么一点心意时，内心是很难过的。革命的征途如此曲折艰难，他开始怀疑自己还有多少力气能够走完这漫漫山路。

“四人帮”的覆灭，曾经使他高兴了好一阵子。不过，他还是来不及看到中国大地上涌动的改革开放大潮，1978 年，他就在闽西龙岩这块红土地上与世长辞了。

项与年离开我们已经 18 个年头。他生前对自己的历史，从不宣扬，连向自己的子女都很少谈及，这对他一生史料的整理，自然增加了很大的难度。连城县委花了几年时间，作了大量调查，访问了不少老同志，写成反映项与年几十年革命生涯的《山路漫漫》，这是很有意义的。卢运泉、李立维等同志，查阅了不少史料，以尊重历史事实的精神，把淹没多年的重要资料，重现在读者面前，是很不容易的。虽然本书只反映了项与年革命生涯中很小的一部分，但就这一小部分业绩，和他一生所走过的漫漫长路来说，都是值得我们永远怀念的。

习仲勋

1996 年 7 月

目录

第一章
关系全局的情报

一、牯岭会议

蒋介石对中央苏区的四次“围剿”相继失败之后，决定采纳德国军事顾问塞克特的建议，用“铁桶计划”“围剿”红军，彻底摧毁中央革命根据地。

1934年9月底，蒋介石在庐山牯岭召集江西、湖北、湖南、河南、山东五省主席、司令、军长开会部署“剿共”方略。当时位于庐山脚下的德安专区保安司令莫雄（解放后任广东省政协副主席），按说还不够参加这个军事会议的级别，但因他“剿共”有功而被蒋介石点名特邀参加。

会议是在警戒森严和保密的情形下进行的。蒋介石亲自主持会议。具体事项由蒋介石南昌行营秘书长杨永泰、江西省主席熊式辉负责。会议开了一个星期，最后公布了“铁桶围剿”计划，决定用150万大军，对以瑞金、于都、会昌、兴国为目标的中央苏区革命根据地，在同一指定的时间突然加以包围，形成一个以瑞金为中心，半径达300华里的严密包围圈。在包围圈尚未完成之前，派12个师的兵力与红军纠缠以迷惑红军，争取包围部署时间，包围圈一形成，这12个师随即撤离。同时立即断绝一切交通，禁止任何人出入，以封闭苏区的消息，断绝红军的一切物资来源。然后各部队依照命令每日推进1.7华里左右，逐步缩小包围圈。每推进1华里，布上一重铁丝网，每推进10华里就构筑一道碉堡线，碉堡的设置使得它们的火力能构成极为密集的交叉封锁网。计划每月向纵深地带推进50华里，六个月进逼红都瑞金。那时瑞金四周将有300重铁丝网，30重碉堡线以及难以计数的障碍物。为防红军突围，又规定每重铁丝网之间的防守要绝对保证，设

1934年9月，蒋介石在庐山的行辕——美庐别墅

立大量碉堡群、地雷阵。如遇突然情况，则立即用大量美国军用卡车调动部队，运行线路都布置得十分详细，无一遗漏。计划中对某个部队或单位何时必须到达某个位置，铁丝网何处预留缺口，何地装以鹿砦、拒马，何处建弹药库、粮秣、医院、绑带所、有线电话网及中继站等都作了详细的规定。

事实上，蒋介石在会议前数月已开始了这次军事行动的准备：德安一带运来了大量铁丝网，各部队装备大大改善，美制军用新卡车1000辆已运到，9月份国民党各部队相继整训就绪，陈诚率领的国民党第十八军攻陷石城，进至宁都，稍事停留后拟分两路攻打党中央所在地瑞金，以达到最后全部消灭红军的目的。而当时我们党内的错误领导却还在那里主张“全线出击”“两个拳头打敌人”，和敌人进行阵地战、消耗战等。实际上，红军危在旦夕。

会议结束时蒋介石致闭幕词，他给与会者打气说：“现在剿共大业已握胜券，望各方面负责人积极执行会议决策，毕其功于一役！”在场的200多反共军事头目个个气势汹汹，摩拳擦掌，纷纷发誓要在这次“铁桶围剿”中剿绝共军。

会议散发给与会者的文件很多，每人约有三四斤重，内有“围剿”总动员令、各种图表、150万兵力的具体部署、各战斗队的进攻路线、日程安排、战斗序列、“剿共”守则及蒋介石的语录等，每份文件都打上了蓝色的“绝密”字样，并编排了序号。

至此，蒋介石更是踌躇满志，正如《蒋介石年谱》中所载：认定“围剿”中央苏区的大势业已完成，胜利在望，扬言：“不消灭共产党就不能抗日，因此，我们更应对共军加紧包围，聚而歼之，不使漏网。”之后，于10月上旬偕夫人宋美龄下庐山，准备前往华北视察去了。10月中旬，蒋介石带着宋美龄正在华北游说：“他不是不抗日，是被共产党拖住了后腿，非消灭共军不行”的时候，突然接到南昌行营转来的情报，说红军主力开始突围，前锋已通过信丰江。于是他匆匆赶回南昌部署围堵红军。制定了百无一漏的“铁桶计划”，只待“收最后围歼红军之功的蒋介石，做梦也想不到红军居然还是突出了包围圈”。

二、惊心魂魄之举

牯岭会议结束的当天，莫雄于掌灯时分回到德安。这位早年同情革命的保安司令急得吃不下饭，呆呆地坐在那里。

莫雄深知，若把绝密“围剿”计划泄露出去，自己将必死无疑。如果不告诉项与年等共产党员，又觉得对不起老朋友，到时将是一片刀山火海，将是几十万生灵惨遭涂炭！真是心急如焚，却又难以言说。他身边的共产党员项与年、卢志英、刘哑佛看出他心事重重、欲言又止的样子，猜想这次庐山牯岭会议蒋介石必定有什么重大决策。经过反复追问、启发和推心置腹的劝说，莫雄终于冒着死亡的危险将实情说出来，同时把从庐山带下来的大包绝密文件交给了他们。

在一间密室里，他们飞快地翻看着这些从天而降的大包绝密文件，无比激动，又十分紧张。蒋介石的阴毒计划一清二楚：用持久战和步步为营的堡垒战术逐渐消耗红军的有生力量和物资资财，慢慢缩紧包围圈，最后寻求红军主力决战，以达到全部消灭红军的目的。这个毒辣的计划一俟完成，几十万红军劫数难逃。这个情报太重要了！它事关红军的存亡，必须立即让党中央知道。

项与年他们立即行动起来，将这些绝密文件的中心点以特急电报发往党中央，然后弄来四本学生字典，分头将文件的详细内容密写到字典上，由熟悉这一带人情地貌的项与年火速送往中央所在地瑞金。

从德安到瑞金，中间要经过永修、新建、南昌、丰城、崇仁、乐安、宁都、石城八个县市，高山阻隔，河流纵横，途经几十个关卡。有时白天不能走，只可夜间走，其中有艰险可以想象。项与年扮成教书先生模样，把四本学生字典、牙膏、水杯、布鞋和两件旧衣服等装在用毛巾自缝的袋子里拿在手上，连夜出发。

第二天下午，在快到南昌市的一个关卡处遇到了搜查的敌人，在敌人正要检查项与年的袋子时，他急中生智地跟敌军官周旋说：“老总，我的牙痛又发作了，让我先找点牙痛水点上。”他一边找牙痛水，一边把学生字典快速地

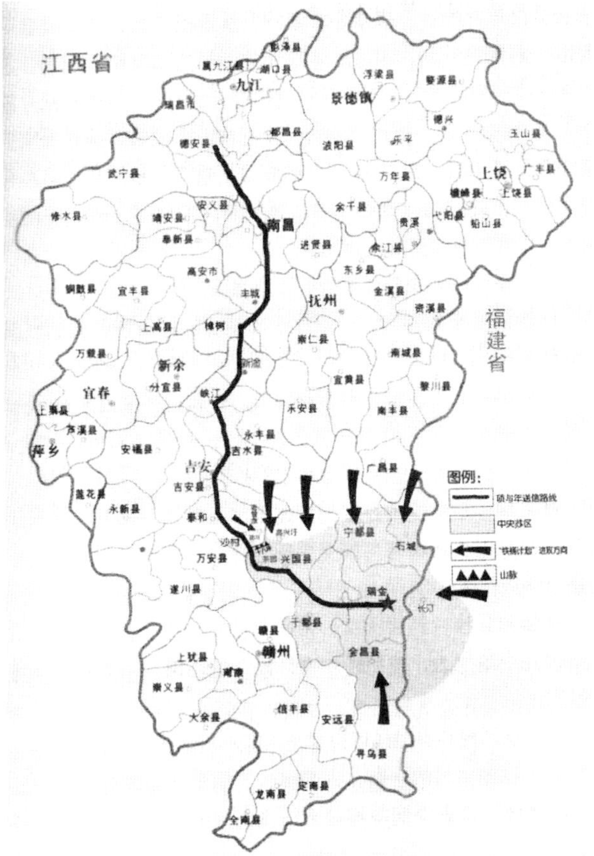

项与年送信路线图（本图由闽西日报记者傅长胜提供）

晃了一下说，“袋里就几本字典，本人教书用的”，敌军官相信了并不耐烦地说：“走开、走开。”就这样巧妙地应付过去了。

项与年将抄有绝密文件的字典带到德安行署驻南昌市办事处后，想起后面的路途将会更危险，这几本字典很可能会引起敌人怀疑，他迅速找来几位年轻精干的地下党员将文件内容缩写密录在薄纱纸上，然后将它们藏在鞋底里，趁着月色又上路，向南昌城外走去。

项与年暗自思忖：往瑞金去，山高谷深，离红都瑞金越来越近了，敌人的盘查将会更严。以教书先生的身份继续向前走肯定是不行了。为了使情报万无一失地送到党中央手中，他计上心来，何不装成一个乞丐？但他那副文质彬彬的儒雅模样距离一个乞丐也差得太远了。项与年在路旁找了处隐蔽的地方，毅然用砖头敲掉自己的四颗门牙，巨大的疼痛使他顿时昏倒在路旁。过了好一阵子他才清醒过来，又继续赶路。饥饿了就吃一口干粮，渴了就喝一口河水，实在困了就倒在树底下睡一会。当他发现路上没什么人时，就疾步如飞。现在的项与年真真切切地如同一个乞丐了，连日昼伏夜行，极度的疲劳使他蓬头垢面，脸无人色，树枝和石子撕破了他的衣服和鞋，加上缺了牙的血淋淋的嘴巴，没有人愿意再多看他一眼。

在敌人设置的又一个关卡处，凶神恶煞的哨兵瞪大眼睛问项与年："你的嘴巴怎么肿得这么大？"他谎称在一大户人家要饭时，主人不但没有给反而放出恶狗来咬他。他慌忙奔跑中跌倒时摔的。敌军信以为真，痛快地让他过去了。

就这样，他一路上风餐露宿，经过无数艰难险阻，终将绝密情报亲手交送党中央。

在这之前，中央综合多方面的情报，知悉蒋介石必将对中央根据地发动总攻击，中央红军如不能及时突出蒋介石的包围圈，后果将不堪设想。项与年送来的情报，对中央作出红军立即果断地撤出根据地的决定，是起了重要作用的。10月16日，也就是蒋介石的庐山牯岭会议之后一个星期，中央工农红军赶在敌人的"铁桶围剿"包围态势完成之前，撤出了革命根据地，开始了举世闻名的二万五千里长征。中央红军殊死拼杀，血战湘江，突破敌人层层封锁线，终于在贵州遵义召开了政治局扩大会议，重新确定了毛泽东在我党我军的领导地位。遵义会议后，毛泽东指挥红军四渡赤水河、巧渡金沙江、强渡大渡河、飞夺泸定桥、过雪山草地，最后率领红军胜利到达陕北革命根据地。长征途中毛泽东在谈到红军为何这样急迫地离开中央根据地时曾说："搞情报的同志是立了功的。"

蒋介石在江西"围剿"红军的阴谋未能得逞，就将靠近娄山关地区约二三十万军队调到娄山关集中，因红军北上陕北经娄山关只需四五个月时间，故蒋介石估计娄山关是红军必经之路。但当时红军只四五万人马，怎能硬拼？因此须走四川省北上。但走四川省一定要经过贵州省毕节县。这时蒋介石将莫雄从德安调往贵州担任贵州省第四区行政督察专员兼保安司令，专员公署设在毕节县。县内只有彝族警察四五百人。当时在湖南的贺龙派人与莫雄联系，要他就地成立游击司令部，莫雄对来人说："毕节县无人无枪，眼下无法成立。"此后红军决定走四川北上，这样毕节就成为红军必经之地，为此莫雄觉得很难办，经与卢志英等地下党员同事协商，议出一策：让项与年去娄山关附近给莫雄发一份假电报，佯说"红军决定北上娄山关，现大军云集娄山关边缘"，莫雄收到电报后，就将毕节县警察大队调出城外，向娄山关进发，让红军得以安全通过毕节县，走乌江入四川省。

共产党从来不忘记老朋友。1956年，解放军副总参谋长李克农指派项与年专程去接莫雄，到北京参加国庆典礼。李克农特为莫雄在王府井帅府园设宴。叶剑英元帅也在家中设宴招待莫雄，并称赞他的功劳[①]。

---

① 《革命史资料》第15辑，中国文史出版社1986年版，第32页。

三、结识“莫大哥”

前面提到的传奇式人物莫雄，项与年同他怎么认识的，他们之间究竟建立了什么样关系呢？

莫雄是孙中山时代的老国民党员，蒋介石、宋子文等人的老朋友。1930年初，项与年在上海经地下党员刘哑佛（1894—1939年，鲁迅文章《纪念刘和珍君》中的刘和珍的哥哥）的介绍，认识了莫雄，从此莫雄就成为中央特科的重点工作对象。

莫雄16岁就追随孙中山加入同盟会闹革命，推翻清朝，建立民国；尔后参加过讨龙、援闽援桂、北伐东征，骁勇善战，屡建奇功，人称“莫大哥”。本来他和蒋介石同在许崇智部下共事多年，1925年8月廖仲恺被害，蒋介石趁机夺了许崇智的兵权，莫雄任师长的建国粤军第十一师（刘哑佛时任师政治部主任）也被蒋介石加以“反革命军队”之罪就地缴械遣散。莫对蒋排斥异己的行为十分不满，从此对蒋介石敬而远之，之后又两次参加张发奎反蒋的行动，均不成事，只得于1930年来到上海找到国民党财政部长宋子文，弄到一个挂名领干薪（月薪300元）的财政部视察职务。

一天，在上海街头闲荡的莫雄巧遇当日旧部刘哑佛。他乡遇故人，格外高兴。莫先生性格豪爽，平易近人，有强烈的正义感，视金线为粪土，乐于助人，在国民党军政界上层人物中又有不少老关系。莫刘相洽甚欢。刘哑佛还介绍了一些朋友与莫雄相识，其中就有项与年、刘哑佛、严希纯（1898—1965年，新中国成立后曾任全国政协常委）等。项与年等人经常到莫雄的住地——霞飞路桃园坊，用革命理论开导他，向他介绍俄国十月革命，介绍列宁斯大林领导下的苏维埃政权打败14国联军侵略的情况，并向他宣传中国共产党的革命纲领。在特科几位中共党员的启发下，莫雄明白了实行共产党的革命纲领是实现孙中山“三民主义”的唯一途径。如果用法西斯独裁专制的办法统治中国只会亡国亡种，只有共产党才能救中国。悟出这一道理后，莫雄甚至一度有了加入中国共产党的意愿。莫雄就是这样，但最终他以一种十分特殊的身份在国民党中留了下来，在这之后的几十年里，他一直对共产党忠心耿耿。在最黑暗的年代，他一直在暗中冒险帮助党、帮助革命。解放之后也一直是党的忠诚朋友。

项与年与莫雄交往之初，先请莫雄帮助我党做了一些“小事”。他请求莫雄运用自己的影响设法保释几名被捕入狱的共产党员，莫便去找上海警察局局长文鸿恩，此公与莫素有交情，在他的请求和劝说下，便把这几个共产党员释放了。至于将庐山军事会议秘密情报交给我党这样一连串惊心动魄的行动，那都是这以后的事了。

四、任“情报参谋”

1933年10月，莫雄因国民党南昌行营秘书长杨永泰的推荐，被蒋介石任命为江西第四区行政督察专员兼保安司令。

杨永泰交给莫雄两份空白组织表：一份是江西第四区行政督察专员公署，另一份是第四区保安司令部，还有蒋介石的委任状及一张3000元大洋的支票，让他自组人马。这实际上是蒋介石收买人心的一种姿态，他是要通过这个姿态让莫雄明白：我对你莫雄是用人不疑，疑人不用，反过来，你对我应报以忠心。特科立即利用了这个机会。

莫雄对杨永泰说“我在江西一个人也没有，在上海倒是有不少朋友”，杨永泰同意莫雄去上海找人组织班底后，莫雄就直奔上海找到项与年、严希纯和刘哑佛等共产党朋友商量如何组建专署与司令部，并把蒋介石的委任状和空白组织表拿给他们看，对他们说：“我准备与蒋介石斗法，用他的拳头去打他自己的嘴巴。请你们将这两份组织表拿回去与你们上级商量研究。我佩服共产党，我相信孙中山的三大政策和共产主义可以救国兴邦，蒋介石反共剿共是要亡国的。假如你们信得过我莫雄，请你们派人与我一起干吧！我当司令，你们来当我的部下。蒋介石要我剿共，我要剿老蒋。”项与年等人听罢十分高兴，当即把老将给莫雄的委任状及组织表带走上交组织。

为了配合中央红军反对敌人的“围剿”，特科负责人王世英选派特科精干人员去江西工作。1934年3月底，江西赣北第四区行政督察专员公署及第四区“剿共”保安司令在德安正式成立。除专员兼保安司令莫雄外，专员公署和保安司令部内从参谋长到重要下级军官（包括谍报组的人）差不多都是从上海来的中共地下党员，胡毅、陈修爵任保安副司令，刘哑佛任专署主任秘书，卢志英（1948年牺牲于南京雨花台）任参谋室主任，项与年任情报参谋，傅肖先任科长（新中国成立后曾任江西省政协副主席），贾绍谊任情报股长等。

利用莫雄的掩护，项与年等人迅速在德安建立了地方党的组织，介绍了不少地下党员打入国民党高级特务训练班，在大特务头子康泽手下任职，又让莫雄推荐十几人到蒋介石的南昌行营工作，隐藏在国民党核心组织里长期进行秘密工作。项与年他们不仅在德安专署辖区内，因为莫雄的关系通行无阻，就是在南昌市，他们也利用德安专署驻南昌办事处为掩护从事地下活动，设立交通站。

当时中央特科的丘吉夫和卢志英的妻子张育民在南昌市内开了一个“张育民诊所”做工作掩护，专治花柳病、妇科病兼接生和堕胎。诊所生意很兴隆，有不少高级官员、军官的姨太太及中下级军官常去看病。丘吉夫是药剂师，张育民是医生。实际上他俩共同负责军事情报联络和交通工作。

项与年等人的情报通过张育民诊所再发往上海的唐拾义药厂或百中堂药房的郑世农，然后转交组织。郑世农当时任唐松义药厂的营业部主任和百中堂药房的经理。这两个厂同全国各地均有交易，每日与全国各地同业往来的信件约有百封之多，经过上海邮局时不需检查，因此这条交通线一直很安全，没出过问题。

在上海地下党派来的几十人中，除项与年和刘哑佛是莫雄的老相识以外，其余的人莫雄都未曾见过。但莫雄让他们放手去做。在专署及司令部内，一切事务皆由项与年、刘哑佛、卢志英等人负责办理，做得干净利落。项与年等人常同频繁往来于上海、南京、南昌、德安之间的严希纯秘密开会。一次，莫雄的老朋友华克之来德安看望他，莫雄陪华克之在窗外参观他的办公厅。他指着室内最后一张桌子的人问华克之：“你认识他吗？”华克之一下愣住了，莫说“他即项与年，你不是常提起他吗？他是有组织关系的，现任我的情报参谋”，说完之后又连忙细声叮嘱华克之“绝密、绝密”。

德安距南昌50公里，距九江55公里，是南浔铁路（南昌—九江）的中心点，为军事上必争之地。四区专署下辖德安、九江、星子、瑞昌、彭泽、湖口等7个县。按蒋介石的说法，这里是红军活动“最猖獗”的地方。江西省主席熊式辉特拨2个省保安团归莫雄指挥“剿共”。为了迷惑敌人，使莫雄的部队既不真正打红军，又能取得上头信任，项与年等地下党员一方面派人与当地红军和苏维埃政府联系，让该区的红军潜伏下来分散休整或向别的专区出击；另一方面让莫雄派出部队，煞有介事地与红军打几仗，制造红军大溃败的假象，并在“剿共”中通过各种巧妙的形式将大量弹药物资送给红军。

这样不到六个月，“共匪”已在德安专区“绝迹”，苏维埃政权已“消灭”。而实际上，苏维埃政权全部安全地转入到地下。这样别的专区天天闹警报，德安专区却“风平浪静”，莫雄遂将一连串“剿共”捷报呈报熊式辉和蒋介石，熊式辉嘉奖莫雄所辖的第四专区为模范区，是“剿共得力，全省第一”，甚至蒋介石也被迷惑住了，给莫来了个通报表扬，“传令嘉奖，考成第一”。

第二章
寻找出路

一、少年磨难

这种假象帮了莫雄大忙，使得蒋介石特许他参加了牯岭军事会议，从而引发项与年给中央星夜送情报这一惊险之举。

项与年之所以能在关键时刻大显身手，是与他少年时代的磨难和受党的多年教育培养分不开的。

他出生在福建省连城县。连城南部的崇山峻岭中，有个几十户人家的小村，名叫文地村。这里偏僻闭塞、交通不便、四面高山踞盘，却风光绮丽，一泓清澈透底的溪水穿村而过。1896年农历三月二十三日，在这个小山村一户项姓农民家中，一个小生命呱呱坠地来到人间，按项氏辈分，父母给他取名项廷椿，他就是项与年（1917年到北平后改名）。

项与年的家乡虽然山清水秀，有大片郁郁葱葱的松杉、竹林，可大部分山林是不属本乡人的，百姓住在深山却不能靠山吃山，祖祖辈辈赖以生存的仅仅是几分薄田，加上兵灾匪祸、苛捐杂税，群众生活困苦不堪。

项与年的祖父项定方是个应过汀州府城试的秀才，辍学回家后，从事农耕，又自学木匠，算得上这个小山村中出类拔萃的能人。当时由于兄弟多达六人，劳动力足，开荒种茶、种水稻，曾有过盛极一时的家境。每年稻谷收成数百担，茶叶收成约百担，并建造起一幢拥有30多间的宫殿式房子。后来由于兄弟分家，家境逐渐衰败下来，到项与年七八岁时，家中已入不敷出，欠债逐年增多。

为了维持全家生计，父母终年苦苦挣扎。父亲项仕豪是个耿直厚道的人，除种田外，还继承了祖上传下来的木匠活计，经常给附近人家做屋做家具。由于为人随和，老实勤恳，深受邻里乡亲的信任和敬重。母亲黄文珍勤劳贤惠，操持家务，也乐于助人，甚得乡亲们的尊敬。项与年有兄弟六人，他排行第四。三哥项廷爵在福州法政专科学校毕业后，在北平、上海等地供职。六弟项廷纪参加红军，是闽西红十二军独立团的一个宣传班长，在一次攻打连城县的战斗中英勇牺牲，被敌人砍成四块悬挂在四大城门上。其他兄弟都是厚道农民。旧社会由于山区贫穷难娶媳妇，素有抱养童养媳的习惯，在项与年七岁时母亲也为他抱养了一个名叫王村玉的穷苦小女孩。

项与年祖居

项与年生下以后，由于家庭贫穷营养不良，身体孱弱，疾病很多，不是得痢疾就是发烧。他回忆自己幼年时说："七八岁以后家境非常贫寒，看见别的小孩穿的食的都比自己好，又经常看见母亲在偷偷地哭；有时还把自己拉到身边说明自家为什么会穷。虽然那时年纪小不懂事，但细想起来确实没有任何一件使人快活的事情值得回忆。唯有一件事至今仍在脑海里，留下了特别深刻的印象，犹如打上烙印一般。母亲说我一生下来身体就很弱，在我三四岁时特别多病，曾有好几次死了又活了过来。有一次死去后母亲装进土筐里盖上一些稻草放在屋檐下整整一天，成群的苍蝇蚊子在上面飞来飞去嗡嗡乱叫。傍晚父亲耕田回来后，扛起锄头捡起土筐正要去埋掉的时候，突然我又会哭了。母亲说：'真是你命大，如果不是因为忙，早就被埋掉了。'"①

项与年9岁时，家中为培养三哥读书，父母便把他和童养媳一起过继给膝下无子的堂叔项仕杰，这样家里既减少了二张嘴，又得了几担谷田，缓解了一下家庭困难。

堂叔项仕杰是晚清汀州府秀才案首，才识渊博，精通医术，在朋口开了一家叫永济堂的药店，家境较好。在那"不孝有三，无后为大"的封建时代里，堂叔自然十分宠爱他，送他去私塾，学习识字进而背诵诗词，学习《孟子》、《论语》等蒙书。由于他聪颖灵活深得私塾先生的欢喜和器重。

但好景不长，两年后他的婶母生了一个男孩。这对小与年而言，无疑是灾难降临。婶母怕他以后同自己的亲生子争分家产，视之为肉中钉。于是不让

① 见项与年自传材料，现存辽宁省档案馆。

项与年在堂叔家的住址

他念私塾，而要他到家中药店当学徒，稍大点又让他上山去打柴、做家务，过着好似雇工一般的生活。由于婶母对项与年时好时坏，反复无常，他只得忍气吞声。有时他回父母家玩玩，婶母说他吃东家饭做西家事。有时他实在不能忍受时跑到父亲做木工活的人家去帮拉锯，解决吃饭问题，婶母又非难说他父亲勾引他回去挣钱。他只好乖乖回去受气，免得父母不安。

项与年15岁时，已经长得很高了，并成为家里正式劳力。这一年他与童养媳王村玉结婚，五年后他们有了自己的儿子项德崇，后改名项南。

二、商海翻船

在婶母家，项与年和王村玉虽然担负起全家的劳作和家务，拼命干活，但仍换不来堂叔婶婶的信任。婶婶时常借故发难，指桑骂槐，家庭纠葛不断。随着年龄的增长和思想的日渐成熟，项与年的反抗意识日趋强烈。他决心脱离这个家庭，到外面去寻找属于自己的天地。

一天夜里，他告诉妻子要到外面去闯世界，于是便瞒着叔婶偷偷地走出山门，赶到离家三十几里地的朋口镇亲戚家。很快，堂叔就打听到他的下落，赶来劝他回家，项与年死活不从。叔父的没有办法，只好把在朋口开的中药店交给他去经营。因为他原就在药店中当过学徒，对中药炮制已积累了不少知识，所以经营药店也算轻车熟路。初时他起早贪黑，细心料理，店里店外井井有条，生意还红火。由于他性情豪爽，同情穷苦病人，允许欠款、赊账，后来药店逐渐亏本倒闭。堂叔又转而支持他做豆腐黄酒生意，刚开张不久又亏了本，他不好意思向堂叔交账。在这种情况下，他想只有远远地离开这个家才有生路，因此便不辞而别。

行程匆匆，道路茫茫，盘缠无几，何处安身？第二天晚上，他来到一个叫梅村头的小客栈里住下，小客栈位于一片大森林中，松涛声搅得他整夜难眠。他想去找远在北平的三哥，到外面去拼搏一番，混出个样来也好给堂叔堂婶他们瞧瞧。但这么遥远的路程，路费是个大问题，怎么办呢？

他想来想去，决定去求助这儿的生意人。梅村头虽然偏僻，但在还没通公路汽车的年代，这里却是连城人外出做生意的主要通道。连城东南部的木材、土纸大都是经过这里溪流上的小木舴运出去的，到漳平、厦门后转装大船，最终到达站潮、汕、沪、宁的。他在这搭识了一位贩运土纸到上海的本地人，这位同乡十分热情，不但分文未取把他带到上海，临别时还送了他一些路费。项与年一路上帮老乡干些体力活，他从上海辗转来到北平。这样，他终于走出了生于斯长于斯的山旮旯，来到陌生繁华的大都市。

1917年项与年只身来到北平三哥项廷爵身边。三哥是个为人正直、思想进步，追求革命的有志青年，当时在军界任职。项与年到此，暂无事可做，三哥便弄来很多进步书籍给他看，希望他多学点东西。不久，三哥又调往南京、上海两地任职，项与年也一同前往。

在上海，哥哥看他无事可做闷得慌，便把他介绍给一个在上海做贩纸生意的福建永定同乡，并拿出数千元让他同永定商人合伙做贩纸生意，把连城的贡纸运到上海来卖。

这个永定商人深知连城贡纸的价值，当时是享誉海内外的抢手货，但苦于在连城没有关系和熟人，现在听说项与年愿与他一起做连城纸生意，高兴得不得了，当即派项与年回连城购纸。永定商人见他初出茅庐，尚无经商经验，便处处算计他，他从连城发往上海的贡纸，永定商人不是说半途失落没收到，就是说质量不好没有卖到好价钱，没多久他不但没有挣到一个分钱，反而连本也亏光了。项与年没有想到生意场上竟是这般尔虞我诈，一气之下便想回家耕田，可又怎么有颜面见江东父老？想回到三哥处，亏了这么多钱，又如何交待？惆怅了好一段时间，最后还是硬着头皮把真实情况告诉了三哥。三哥深知世道艰难，即使自己找到那个同乡理论一番，恐怕也难收回入股的钱。因而也就没有过多责怪弟弟。只是劝他以后做事要更加小心。目前只好静下心来，另作打算。

三、加入国民党，军中历练

在上海，项与年目睹了轰轰烈烈的五四爱国运动。

“六三”“六四”大逮捕后，五四运动的中心由北平转移到上海，日资内外棉第三、第四、第五纱厂、日华厂、上海纱厂的工人首先举行大罢工，接着沪宁、沪杭、淞沪铁路工人、电车工人、汽车司机和轮船水手也相继罢工，导致交通瘫痪。

这次声势浩大的反帝反封建运动使项与年深受鼓舞和启发，他第一次看到了人民力量之伟大，看到了中国希望之所在。他的思想发生了很大变化，由原先对政治一无所知和不感兴趣进而对孙中山的三民主义、护法运动开始注意了。他借阅《孙文学说》等革命书籍和报刊，认为孙中山的“天下为公”思想正合自己的心愿，也符合中国国情，待有机会自己也要加入到孙中山领导的民主革命中去。

1920年春，援闽粤军总司令陈炯明占领了以漳州、龙岩为中心的闽西南20余县，正在那里整训扩充部队。

粤军共分两个军，总司令兼第一军军长陈炯明驻漳州，第二军军长许崇智驻龙岩。孙中山对这支部队倾注了全部心血，用大量国内外捐资加以培植，同时从上海派出大批党内政治军事人才充实进去。他期望依靠这支武装力量，打垮桂系军阀，夺回广东这块曾多年苦心经营的民主革命根据地。

这时，在上海吴淞要塞司令部任文职的三哥项廷爵应同事李自立的邀约谒见了孙中山先生，请求去粤军工作，得到孙中山先生的赞同。李自立和项廷爵根据孙先生的指示参加粤军第二军，在龙岩协助许崇智军长收编民团、扩充军队。

同年8月12日，粤军奉孙中山之命誓师回粤驱桂，经梅县、兴阳和揭阳、普宁向广州进军。项廷爵和李自立随第二路军行动。这时粤军已从最初的20个营发展到108个营，装备精良，所到之处敌人多望风而逃。他们以风卷残云之势直逼惠州、河源。在河源，粤军与桂军及海疆军、滇军展开了激烈战斗。9月下旬，原属桂系势力的护国军第五军军长魏邦平和广惠镇守使李福林秘密将所部由香山、佛山移到广州对岸河南来，宣布脱离桂系拥护孙中山。李、魏倒戈对桂系是个致使打击，桂系见势从河源一线退却。粤军挥兵越过惠州，于10月29日攻占广州。桂系莫荣新率军退到西北江，后又被逐回广西。战事结束后李、项两人返回上海。

粤军赶走桂系军阀后，广东军民欢迎孙中山回粤。11月28日，孙中山偕同唐绍仪、伍廷芳抵达广州，重组了军政府。孙中山兼任内务部长，唐绍仪为财政部长，伍廷芳为外交部长，陈炯明兼任陆军部长。

过完春节后，李自立和项廷爵准备动身回广州，项与年坚持跟他们一道走。李自立认为项与年是个山区农民，没见过什么世面，到广州谋职不方便，不想带他，由于项廷爵的面子，也不好推辞。一路上，项与年鞍前马后，或整点行装，或采购食品，办事干净利落，改变了李自立的原先想法，李认为他很能干。

三人到广州后，首先拜会了孙中山先生，孙先生对李自立和项廷爵在援闽驱桂中的表现很满意，要他们继续努力，并委任李自立为粤军第二军第一梯团司令，项廷爵为秘书，项与年为副官，嘱他们马上报到。三人即去拜见第二军军长许崇智及第一路司令黄大伟。许、黄见过孙中山的手令后，表示欢迎他们来工作。

当时军队中“路”这个建制，实际上是为适应兵运、收编、招抚及作战准备指挥要求，将人数不足一个旅而又不能并入其他旅的部队编成的。有的“路”还带有临时机构性质。黄大伟的第一路还是比较正规的部队，有一定的战斗力。黄分配给李自立他们的任务是到福建去招兵买马，扩充部队。

1921年盛夏骄阳似火，项与年、李自立和项廷爵三人连一匹马也没有，以步当车，全部家当就是黄大伟发的第一路司令部的一纸公文和一些银两。经过半个多月的艰难跋涉，终于到达福建汀州。在这里有不少民军，经过他们耐心细致的说服工作，民军就被收编过来，几个月后第一梯团由原先的三个人变成为一百多人的部队，项与年也加入了中国国民党。

1922年2月，正当孙中山计划集结部队从桂林经全州、黄沙河向湖南衡阳进击军阀吴佩孚的时候，粤军总司令兼广东省省长陈炯明勾结湖南督军赵恒惕，反对孙中山北伐，并多方阻挠北伐军入湘。陈炯明一向主张“联省自治”，实质是进行军阀割据，与孙中山“武力统一中国”的路线背道而驰。孙中山侦悉陈怀有异志，首先进行说服，陈坚持不接受，孙先生不得不于4月下令免去陈的粤军总司令及广东省省长两职，只保留其陆军部长一职，以促其有所悔悟，同时决定改道北伐。5月上旬，孙中山将大本营由桂林移到韶关。北伐大军在许崇智、黄大伟、李福林、谷正伦等统率下，由韶关向江西进发并取得节节胜利。6月16日，陈炯明公然发动武装叛乱，炮打观音山前的总统府。

陈炯明叛变后，北伐军分两路回撤。滇军朱培德部绕道湖南撤往桂林，许崇智、黄大伟率部由江西会昌向福建武平、上杭撤退。孙中山任命许崇智为东路讨贼军总司令，下设三军，由许兼任一军军长，黄大伟为二军军长，李福林为三军军长。当时许崇智有5000多人，黄大伟部只有两个营，但有枪的不到一半，李福林仅有900多人。由于闽赣粤三省边境军队云集不易通过，许崇智先派陈国华一旅打着北军第二十四旅的旗帜，由长汀混进连城、大田，然后大队跟进。在长汀，黄大伟非要李自立把收编部队的枪械交给他的部队使用，李气愤至极，抛下百余人不管，只身回到上海。

项廷爵和项与年兄弟俩不忍心抛弃苦苦争取来的这支队伍，便在黄大伟离开长汀向福州开进时，带着这支没有一支枪的一百多号人来到漳州，驻漳州的讨贼军独立团团长张贞表示“同情”，并拨给枪支弹药，编成东路讨贼军独立团游击队。

其实，张贞收编项廷爵、项与年等一百多人是另有打算的。收编后张贞立即派了一名叫俞子学的亲信到游击队任特派员。俞子学处处以救世主姿态出现在，盛气凌人，根本不把项廷爵这个游击队长放到眼里，动辄训斥发火。尤其对项与年更是当作“土包子”来看待。他们只得忍气吞声，因为得罪不起这号人。最后实在是无法忍受，便决定回到上海去，不受他的窝囊气。这正好中了张贞和俞子学的算计，项与年和三哥被挤回上海，部队被他们收编，项廷爵不久在上海病逝。项与年失去引路人，非常悲痛。

1920年直皖战争后，皖系在京津及豫鄂察陕等省的军队均被缴械，但淞沪、浙江、山东、福建等地区仍被卢永祥、郑士琦、王永泉、张文生等皖系军阀控制着。他们正在积极扩军，等待时机与直军较量。浙江督军卢永祥在其控制的浙江和上海秣马厉兵，欲联合反直势力，夺回皖系地盘。这时闲居在上海的项与年正苦于没有出路，苦闷不已。当他得悉孙中山与奉系张作霖、皖系浙江督军卢永祥结成三角同盟，准备与直系军阀吴佩孚再战的消息，便想自己不能在闽粤为孙中山效力，何不借此机会为孙先生的计划出点力呢？

1924年初，他打听到三哥昔日好友、卢永祥的浙江纵队司令王亚樵正在浙江三门县训练新兵，便去找王亚樵谋职。当王了解到他有闽粤的军旅生涯后，便热情地邀他协助自己训练一千多新兵。

卢永祥与直系江苏督军齐燮元因为争夺上海而相互仇视已久。8月24日，齐燮元以卢永祥收纳被直系军阀周荫人击败的福建军阀臧至平、杨化昭为借口，与皖、赣、闽三省督军联合压迫卢永祥解散臧、杨部队。9月3日，江浙战争终于爆发。孙中山因与奉、皖两系有反直联盟关系，很快作出反应通电声援卢永祥。战初，卢军进展顺利，在黄渡、浏河打败了齐军的进攻。不料，9月16日孙传芳从福建猛攻仙霞岭进入浙江的西南门户江山，杭州大震。次日卢永祥决定把浙沪联军总司令部由杭州移往上海龙华，并令部队到松江、嘉定一线设防。项与年担任中队长率部赶到松江防守。由于他所带的浙江三门新兵队缺乏实战经验，上阵没多久即被齐军打败。松江失守后项与年被任命为代理大队长收拾残余带回上海。当他退回上海时，王亚樵已去广州，卢永祥亦已逃亡日本。由于失去各方面的联系，粮饷又成问题，项与年决定将队伍拉到福建山中，投奔闽军总司令方声涛。但由于队伍中出了一个投降派黄文中，他不愿上山吃苦，便煽动士兵哗变，关押了项与年，把队伍交江苏第一师（师长白宝山）收编。一天深夜，项与年的卫士帮助他逃出，项离开上海去广州寻找关系。

江浙战争失败后到广州的王亚樵这时已在建国军第二军军长柏文蔚手下供职，并得到信任。项与年同王亚樵联系上以后，王就带他去见自己的上司柏文蔚，由于柏军长对他的言谈印象尤佳，又把他推荐给正要去解决“江西纠纷”的国民党海陆军参谋长李烈钧。李烈钧委任他为闽赣先遣队队长，要他先率部回闽赣边活动。

1924年11月初，赣南镇守使方本仁派人到广东接洽，愿意起兵驱逐赣督蔡成勋，请求出兵为助。因此孙中山派谭延闿为建国军援赣总司令，率领本部及朱培德滇军、李明扬赣军进兵赣南，谭延闿委赖世璜为赣军独立军军长兼赣东绥靖使，率部由武平、上杭进驻瑞金、会昌。20日，方本仁军在赣州发动后，由于蔡成勋不得人心，赣南杨如轩、杨池生、常德盛各军也都按兵不动，方军得以长驱而入万安，12月6日蔡成勋狼狈下台。9日方军占领南昌后，建国军也步步北进开到赣州（9日）、万安（12日）一带。14日段祺瑞政府任命方本仁为江西军务督办，并指使方军反攻建国军。方在段的鼓励下致电谭延闿劝其停止北进，改道入湘。17日又致电孙中山，请其“制止谭军入赣”，他的理由是说直系已经失败，南军“师出无名”。其实，此时赵恒惕在湘东置有重兵，戒备非常严密，建国军入湘要补充饷械才能发动，而方采取了过河拆桥的手段，准备武装逐客，完全是一种背信弃义的行为。

12月18日，孙中山在回答段祺瑞的电报中指出，方本仁奉吴佩孚之命前后进攻广东四次，吴失败后才与建国军合作驱蔡，蔡出走前，对于建国军招之惟恐不来，蔡既走后，则又挥之惟恐不去。孙中山决定派李烈钧到江西进行调解。方本仁则早已同陈炯明所属林虎部订立密约，在建国军出兵江西、驱蔡告成后从赣粤边境袭击建国军的后路。赣南建国军因受方本仁军和林虎部夹击迅速撤回广东，在瑞金、会昌的赖世璜部则叛变了，接受了陆军第四师的番号，并强行收编了在此活动的项与年先遣队。李烈钧到厦门后见此情形便返回了广州。既然赖世璜投靠了方本仁，项与年当然不愿与其同流合污，于是就与同事宣政一起回到上海。不久，宣政又邀他一起去自己在杭州的家。

自1921年初至1924年底的四年中，作为孙中山的忠实追随者，一个普通的国民党员，项与年历经挫折，屡遭厄运，在战场几度死里逃生。他觉得国民党是不行了，光享乐腐化，是没有前途的。他后来追忆这段历史时说：“由于对家庭的不满，我千里迢迢来到大都市，一样地没有找到出路，一样地感到渺茫，原以为孙中山先生的领导的革命是专打抱不平的，认为自己的出路就在这里。可是几年来我老是碰钉子，亲历了许多大虫吃小虫、尔虞我诈的场面，看见不公平的事越来越多，真是大失所望。”[①]项与年虽然到处碰壁，但他也在困境中积累了不少经验，他在军队中的坎坷经历锻炼了他的斗争艺术、革命毅力和领导才能，为日后的革命工作打下了坚实的基础。

---

① 见项与年自传材料，现存辽宁省档案馆。

四、加入中国共产党

宣政是浙江诸暨人，他的父亲在杭州开设了一家丝绸行。1925年春，宣政带项与年到杭州后，俩人便住在丝绸行里。

这家丝绸行坐落在城内闹市区，人来人往，顾客盈门，生意红火。它和别的商行不同，往往一天之内一会儿纯售国货，一会儿又“偷售洋货”，即使在抵制洋货最激烈的日子里，有时它也冒险抛售一阵子洋货。原来这里是中共杭州地委的一个秘密联络点，偷售洋货意在设置雾障，迷惑敌人。当时住在青年会的中共杭州地委党团书记宣中华、在海宁开展革命活动的何赤华等人经常来此研究工作，交接情报，布置任务。

项与年和宣政在福建共事时，就经常在一起谈论理想、人生和祖国前途。他俩当时就认为，跟着那些大小军阀，尔虞我诈，东游西荡，为之拼命，最终也是没有前途的。但自己又想不出什么好出路。项与年这个陌生人住到丝绸行后，就引起了经常来此联络工作的宣中华的注意，同时宣政也把项与年介绍给他的诸暨同乡宣中华。

一天，宣中华主动邀项与年去西湖游玩。在风和煦日、莺啭蝉鸣的柳荫道下，项与年畅谈了自己的童年、自己的过去以及加入国民党后的迷惘。宣中华向他讲了很多革命道理，讲了俄国十月革命、中国共产党的纲领以及富人之所以富、穷人之所以穷的原因，使项与年看到天下穷人翻身解放的希望所在。他俩谈了很多很多，项与年心情特别激动，他非常庄重地向宣中华提出了加入中国共产党的请求。

宣中华这时除领导中共杭州地委外，还身兼上海总工会党团书记、浙江国民党临时党部的执委和常委，经常奔赴于上海、杭州之间。英帝国主义开枪屠杀示威群众的五卅惨案发生后，上海地委当晚召开会议，决定宣中华回杭州工作。6月1日，宣中华在杭州省教育厅召开的教育会联席会议上报告惨案经过情况后，指出“此次斗争并非为个人”，而是“为救国而牺牲”，号召学生及各界起来声援上海工人的反帝斗争。这时项与年在宣中华的带领下投身到轰轰烈烈的斗争行列，他们召集教职员联合会、小教改进会、店员联合会等团体开会，成立了“杭州上海惨案后援会”，召开有三万多人参加的国民大会，会后举行了示威游行，组织募捐支援受难同胞、抵制英货、劝用国货。宣中华和项与年还带领进步学生组织的洋货检查队到宣政父亲的丝绸行去“查封洋货”。在这些斗争活动中，项与年充分表现了革命热情和勇敢精神，赢得了宣中华的信任。

由于宣中华担心项与年的革命活动会暴露丝绸行这个联络点，于是便让他住到海宁县硖石小学何赤华处。何赤华亦是宣中华的诸暨同乡，他是五四时期绍兴学生运动领袖，1922年底由瞿秋白、张秋人介绍入党。这时他在硖石小学以教书为名秘密从事革命活动。宣中华让项与年去何赤华处的另一个目的就是让何赤华更进一步考察项与年。在这里何、项两人朝夕相处，何赤华不断地向他讲述共产主义理论、讲中国共产党的由来和前途。项在回忆当时的情景时说：“正当自己到处碰壁，眼前一片黑暗，想不出什么好的希望，走投无路时，得到了宣中华和何赤华的帮助，真如黑暗中点亮了一盏灯，顿觉光明就在眼前，他们的友爱精神使我更加感动，他们是我有生以来第一次遇见的好人。”①

通过一段时间的考察，宣中华和何赤华觉得项与年已具备了一名共产党员的条件。这年秋天，宣中华和何赤华担任了项与年的入党介绍人，在硖石小学何赤华的宿舍里，宣、何为项与年举行了简单而又庄重的入党宣誓仪式，项与年面向党旗宣誓：为共产主义事业而奋斗，遵守纪律，保守秘密，永不叛党。决心把自己的一切献给壮丽的共产主义事业。

项与年于1925年加入共产党后，便义无反顾，勇往直前地投入到新的革命洪流中去。他和何赤华同住硖石小学一个宿舍，成为何赤华进行革命活动的得力助手。他帮助何赤华筹建五卅惨案表演团，排练剧目《同胞曲》等进行公演，极大地鼓舞当地群众反帝斗志。何赤华常去商业学校、工人业余学校和平民学校讲授国际时事、中国现状、革命史略、三民主义等课程，项与年每场必随，从中他接受了比较系统的革命思想教育。项与年还帮助何赤华将《共产党宣言》的主要内容，刻印成传单，到处散发。

---

① 见项与年自传材料，现存辽宁省档案馆。

1925年12月下旬，宣中华作为浙江省选出的三名代表之一动身去广州参加国民党第二次全国代表大会。因项与年懂广东话，所以宣中华要他同行。在1926年1月1日至20日广州召开的国民党二大上，不但对国民党右派进行了有力的反击，而且议决接受“总理遗嘱”和国民党一大所定政纲，坚持了反帝反军阀的政治方向和联俄、联共、扶助农工的革命政策。在大会选出的36名中央执行委员和24名候补中央执行委员中，共产党员占14人，李大钊、林伯渠、毛泽东等人当选。会后毛泽东担任了宣传部代理部长，林伯渠担任农民部部长，谭平山为组织部部长。各部做实际工作的秘书均为共产党员。宣中华在会上作了《浙江党务报告》，报告了浙江国民党左派反对西山会议派的全过程。

国民党二大结束后，宣中华和项与年拜访了时任中共广东区委负责人、东征军总政治部主任的周恩来及其夫人邓颖超。周恩来高度评价和赞扬宣中华在浙江国共合作统一战线工作中所作的贡献，将他与李大钊、董必武、陈潭秋、何叔衡等相提并论。

他俩还见到了国民党二大中央执行委员、海外部部长彭泽民。彭泽民原在南洋国民党芙蓉总支部工作，曾在吉隆坡发起创办《益群日报》，宣传孙中山的革命主张。他是被国民党芙蓉总支部推荐为代表参加二大的。项与年和彭泽民的这次见面，对项与年的人生经历产生了重要影响。

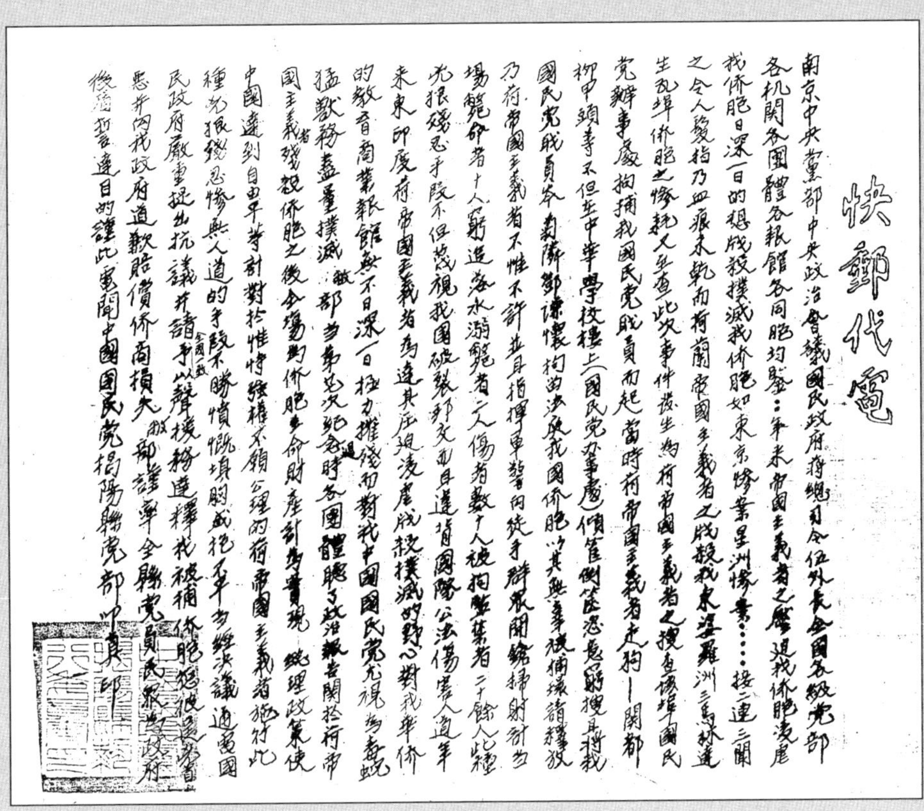

快邮代电

南京中央党部中央政治会议国民政府蒋总司令伍外长全国各级党部
各机关各团体各报馆各同胞均鉴：：年来帝国主义者之压迫我侨胞凌虐
我侨胞日深一日的想残杀扑灭我侨胞如东京惨案星洲惨案……接二连三闻
之令人发指乃血痕未干而荷兰帝国主义者之残杀我东婆罗洲三马林达
生乱埠侨胞之惨耗又至查此次事件发生为荷帝国主义者之搜查三马林达埠国民
党办事处拘捕我国民党职员而起当时荷帝国主义者走狗一关都
柳中镇等不但在中华学校楼上（国民党办事处）任意倒箧恣意搜且将我
国民党职员杂裔邓谦怀拘留并波及我国侨胞以其无辜被捕缳请释放
乃荷帝国主义者不惟不许并且指挥军警向徒手群众开枪扫射打当
场毙命者十人穷追落水溺毙者二人伤者数十人被拘禁者二十余人此种
凶狠残忍手段不但蔑视我国破坏邦交而且违背国际公法伤害人道年
来东印度荷帝国主义者为达其压迫凌虐残杀扑灭的野心对我华侨
的教育商业报馆无不日深一日极力摧残而对我中国国民党尤视为毒蛇
猛兽务尽量扑灭 敝部为第已次纪念时各团体听了政治报告关於荷帝
国主义者残杀侨胞之后全场对侨胞生命财产计为实现 总理政策使
中国达到自由平等计对於惟恃强权不顾公理的荷帝国主义者施行此
种凶狠残忍惨无人道的手段不胜愤慨填胸咸抱不平乃经决议通电国
民政府严重提出抗议并请全国一致予以声援务达释我被捕侨胞惩处凶首
恶并由我政府道歉赔偿侨商损失 敝部谨率全县党员民众请政府
俯循达目的谨此电闻中国国民党揭阳县党部叩真印

第三章
远赴南洋

一、深入到东加里曼丹的华侨华工中

经过两次东征后广东已完全统一，反帝反封建的国民革命有了巩固的根据地。为了保证北伐战争的胜利进行，进一步做好海外华侨的支持工作很有必要。彭泽民见到宣中华后，就说了海外部准备派一名得力干部去南洋开展工作的决定，并希望他能推荐一个合适人选。宣中华立即把身边的项与年推荐给他：项与年是国民党员，在南洋有熟悉的同乡，能讲福建话、客家话、广州话、潮州话等多种方言，并且有丰富的阅历和经验。彭泽民听完介绍后十分满意，当即吩咐海外部秘书许苏魂去具体办理。许苏魂是国民党二大候补中央执行委员，中共海外总支部负责人。项与年认为去南洋工作，也是为实现与中共最低纲领相一致的国共两党共同政治主张——反帝反封建而斗争，于是便愉快地接受了任务。

许苏魂留下项与年，要他在海外部做出国前的准备工作。项与年是个闲不住的人，他再三请求许苏魂给他安排一些工作，以便尽快熟悉海外部的业务。许让他协助自己处理一些事，每次他总是办得认真细致，既快又好，充分显示了他的活动能力。前来海外部联系工作的各地人士对项与年的语言能力十分称赞。

1926年春，海外部正式下令派项与年到东婆罗洲（今印度尼西亚的东加里曼丹省）去开辟工作。临行前许苏魂交待项与年要在那里站稳脚跟打下基础，建立关系和组织，募捐支持国民革命。作为中共海外总支部负责人，许苏魂又暗暗嘱咐项与年要视当地情况用国民党名义出现，秘密发展中共组织。

项与年接受任务后，即从广州启程乘船先到新加坡，再从那里转船赴东加里曼丹的三马林达。当时印尼华侨多来自福建和广东两省，而在东加里曼丹则以福建籍华侨居多。项与年到达三马林达后即通过福建同乡会找到华工聚集处“瑞星号”担员店。

“瑞星号”担员店的担员主要是来自福建省的华工，有几百人。他们全是用肩挑背扛的散工，干一天算一天，今天不知明天的事，随时都有失业的危险。他们居住得十分简陋，一间不到20平方米的简易木板房要住上几十人，十分拥挤嘈杂。项与年为了更好地深入华工中开展工作，便也当起了担员工。这样白天干活时他可以向华工了解情况，晚上睡觉时同华工住在一起可以促膝谈心，向他们宣传革命思想。很快项与年就和他们打成一片，同他们建立了非常密切的关系。他成了华工的朋友，华工有事就找他帮忙出主意，见了他无所不谈。

熟悉了这里的情况后，项与年见时机成熟，便成立了一个瑞星号书报社，“陈列各种书报，任人浏览，其中以革命书报为多”，进行革命宣传工作，这也是沿袭了中国同盟会和中国国民党在南洋活动的传统方式，以书报社名义出现可以避免荷兰殖民者的干涉，比较容易向荷印政府备案。项与年在华工中征求社员，社员缴纳会费作为书报社活动经费，项与年将这些社员招收为国民党员，成立了中国国民党三马林达分部。之后，项与年又以华工和中华学校教师的身份为掩护深入到其他华侨华工聚集区，组织起书报社或俱乐部，吸收社员再转为国民党员，建立分部。这样在不到半年时间里，他又亲手建立了生瓦生瓦、郎加伦、生波英、巴厘巴板四个国民党分部。

项与年还在国民党员中秘密吸收那些真正有阶级觉悟的革命分子为中国共产党党员，并在三马林达建立了党支部，自己担任支部书记。项与年十分注意加强对中共党员的教育，经常给他们讲形势，要求他们认真执行国共合作政策，认清自己在国民革命中的使命，要他们发动华侨华工为北伐战争捐款。东加里曼丹各埠侨胞、华工在项与年的号召下，纷纷成立北伐后援会，致函电给革命政府表示坚决支持，并“捐些血汗之资以作政府后援”。这些情况项与年都报告给了许苏魂，并把募捐的钱和党费汇寄给他，请他上交。这年秋天，许苏魂给项与年来信并附海外部决定和我党指示，称这里的中共三马林过支部受中共海外总支部领导，生瓦生瓦等五个国民党分部组成荷属国民党直属支部，项与年为直属支部的常委。

国内来信给项与年指明了工作方向，更加坚定了他的信心。他干劲更足了，不知疲倦地做华工华侨的思想工作，启发他们的阶级觉悟和革命斗争精神，号召他们起来与荷兰殖民者进行斗争，反对他们的剥削和压迫。鉴于荷兰老板喜欢愚弄华工、挑拨收买华工，项与年教育华工要加强自身团结、同心协力来对付荷兰殖民者。对于被殖民者收买的华工中的工贼，他嫉恶如仇、针锋相对，把他们的丑恶嘴脸揭露出来，使他们在广大华工中威信扫地。

在项与年没来之前，三马林达的华工工头是从福建晋江县来的李某，他狗仗人势，为虎作伥，成为荷兰老板豢养的忠实走狗，对工人阴一套阳一套，表面上为华工打抱不平，实则出卖华工利益，许多华工受到他的蒙骗。如一位华工妻子被荷兰老板施暴，因这位华工知道后只身去找老板算账而被老板扣押。李某借机向其妻索要银子保人，她拿不出银子，李某就假慈悲说："那我就先垫付，人保出来后再说。"结果，人虽被保出来，李某却夸大其词说他为此担保花了多少多少钱，从此这对华工夫妇欠他的钱便怎么也还不清。

另一位从福建福清来的华工，文化程度较高，很有些气质和风度，活动能力也强，只是由于初来乍到，地理人情不熟才在三马林达落脚当担员。李某非常妒忌他，怕他将来夺了自己的权，所以在华工中散布谣言攻击他，说他是因为在福建老家当土匪而被赶出来的、作风极坏等等，常常找茬栽赃，千方百计排斥他。这位福清华工气愤之便离开这里到雅加达去了。

李某的卑鄙行径被项与年一一查实后，在华工中予以公布和宣传，使他无地自容、声名狼藉、无法立足，只好灰溜溜地离开了。

由于项与年说华工想说的话，做华工想做的事，华工们对他就像亲兄弟一样，有什么困难甚至一般的家庭小事都找他商量。很快，项与年就把东加里曼丹的侨胞和华工团结起来，团结在反帝反军阀的旗帜下，成为国民革命的最有力的支持者和推动者。这期间，项与年严守工作纪律，按期向许苏魂汇报情况和接受任务、指示，认真地加以实施。在东加里曼丹的华侨华工中，项与年这个名字可谓家喻户晓。

二、在生瓦生瓦惨案中被捕

正当大革命轰轰烈烈发展时，蒋介石背信弃义发动了“四·一二”反革命政变，全国各地军阀和国民党右派顿时气焰嚣张，争相疯狂镇压共产党人和革命群众。远在东加里曼丹的项与年没有接到国内指示，还不知道国内的变化情况。

1927年五一国际劳动节这一天，项与年在生瓦埠组织华侨华工举行五一纪念大会。在纪念会上他发表了慷慨激昂的演说，愤怒地控诉了帝国主义残害中国侨胞的罪行。他以东京惨案、星洲惨案为例，号召全体华工团结起来反对殖民主义，为争取政治和经济权利而斗争。他的演说赢得阵阵掌声。大会结束后，华侨华工手持小彩旗开始游街示威。荷兰殖民者立即跳出来干涉，不准游行。项与年同他们据理力争：“今天是全世界劳动者的节日，为什么不能游行？”并鼓励游行群众的不畏强暴起来斗争。荷枪实弹的荷兰巡捕不容申辩，野蛮地冲入游行队伍，对游行群众大打出手，用武力驱散了游行队伍，许多群众被打伤，项与年被枪托砸昏之后被逮捕。

项与年被捕的消息传开后，中共三马林达支部和国民党生瓦生瓦分部立即组织全体华侨华工请愿要求释放项与年。荷兰殖民当局不仅未释放他，而且又逮捕了生瓦生瓦中华学校教员岑菊粼、廖恂（均为生瓦生瓦国民党分部党员）和国民党生瓦生瓦分部主席邓怀谦等16人。华侨华工聚会，要求荷方说明捕人的理由和触犯了何法，并请求保释，不料警察竟向他们开枪射击，打死华侨12人，重伤19人，轻伤8人，被捕者18人。酿成生瓦生瓦大惨案。惨案发生后，荷方一方面封锁消息妄图消灭罪证；另一方面在全荷属范围戒严，兵士巡查，所有路口均架有实弹机关枪，不准三五人同行，不准群集议论，如遇座谈者即捕。荷方恐引起华人暴动，不敢把项与年关押在陆上监狱，于是把他关押到海上军舰中。

生瓦生瓦惨案发生后，国民党荷属直属支部及三马林达中华阅报社等华工组织开会决议，将惨案缘由立即电告南京国民党政府及驻三宝垄领事馆，请示政府出面干涉。国民党荷属支部及三林马达中华阅报社的，电告南京政府文稿摘录：

详情：东婆罗洲三马林达生瓦生瓦埠，五月三日发生大惨案，兹将其惨杀后之调查及经过情形志之如下：当三日下午三句钟发生惨案，四日早本埠在华阅报社即派专员前往调查，斯时生瓦生瓦已下令戒严，兵士巡查，一切街口备架机关枪实弹，不准三五人同行或群集议论此番惨杀案事。如遇有三五人座谈者即捕之而去。自三日惨案发生以后，连日被捕者又有许多人。最可怜者，其中有一大和堂东主六十余岁老人亦被捕去。查生瓦生瓦本有国民党分部及竞新俱乐部两团体，今被枪毙者及重伤被捕者，以该两团体人员为多。三马林达中华阅报社及国民党分部开会议决，同属侨胞，且是同志，何分界域，事关国体，岂容漠视。遂于七日即拍电南京国民政府及广东省政府，并驻三宝垄领事，请提出严重干涉，无辜被捕者速行释放，并选派代表首前往垄川，敦请领事亲临调查一切，以凭交涉。又于七日派代表三人旋粤，报告一切，均已着进行，兹将调查毙命及受伤者、被捕者、姓名籍贯如次：……共壹拾贰名，在生瓦殡葬。……贰拾陆人……被捕者十六人……

缘由：五月一日，国际劳工纪念，各界休息一天，集会游行（编者：当场捕去带头者即项与年一人）。次日，荷兰政府即派人搜查中华学校，拘去教员二人（国民党员）。全埠华侨大为愤怒。三日，数千名华工举行罢工，要求释放被捕者。斯时，各色人士往观者颇众。当地长官不特不肯释放教员，反令警兵向群众排枪射击，而惨案成矣。

然而国民党政府却无动于衷，迟至半年后才提抗议，但也不了了之。由于荷兰殖民当局的搜捕破坏，中国共产党和中国国民党在东加里曼丹的组织损失殆尽，同年10月项与年被驱逐回国。

三、为惨案奔走呼号

项与年被驱逐回国之前，国内已发生了四·一二反革命政变，这些情况他一点也不知道。由于共产党全部转入地下，所以项与年回国后即与中共组织失去了联系。项与年先到上海，看看能否找到熟人。所问及的人都胆战心惊，诚惶诚恐，不肯多说一句。于是他立即前往杭州去找宣政、宣中华，只见昔日红红火火、热闹非凡的宣政家丝绸店如今早已被几根粗大的木条钉死，要找的人不知下落何处。他又赶往硖石小学去找何赤华老师，也未见踪影。无奈只好又回到上海。几天后他在街上遇见一位过去的熟人，熟人把他拉回家里告诉他国民党右派发动四·一二反革命政变和马日事变屠杀工人和共产党员的情形和真相，叮嘱他不要乱碰，先隐蔽下来再作打算。

他听从朋友劝告在上海静静地住了一段时间，并打听到过去的一些朋友都在南京做事，便赶到南京。在南京，他找到王亚樵、李自立、胡抱一等老友。

项与年在王亚樵家，将自己在荷属加里曼丹工作、生瓦生瓦惨案、被逐回国等情况一一向朋友作了介绍，激起了他们对荷兰殖民者的强烈仇恨。他们个个义愤填膺，表示要敦促南京国民政府为国雪耻，并要把惨案真相告知海内外中国人。

李自立找来高敬白帮项与年整理出生瓦生瓦惨案真相资料，由南洋侨领、“虎标万金油”大王胡文虎先生捐资印制一万册到处散发，激起了社会各界的强烈反响。另一方面项与年向南京国民政府外交部请愿，要求政府出面交涉，以伸中华民族之正气。

项与年还以华侨回国代表身份发出为惨案呼吁通电，揭露荷兰殖民者无辜屠杀我游行华工的罪行，得到南京市上海各社团的声援和响应，引起南京当权派的重视。国民党中央特别委员会常委谢持和国民党中央执委居正想拉拢华侨，亲自安排项与年住进华侨招待所乙巳俱乐部，让他撰写荷兰殖民统治者残害华侨的稿子交报馆发表，同时还给他一张免费乘坐南京至上海区间火车的优待证，这样行动起来方便又安全。那时王亚樵在上海主办公平

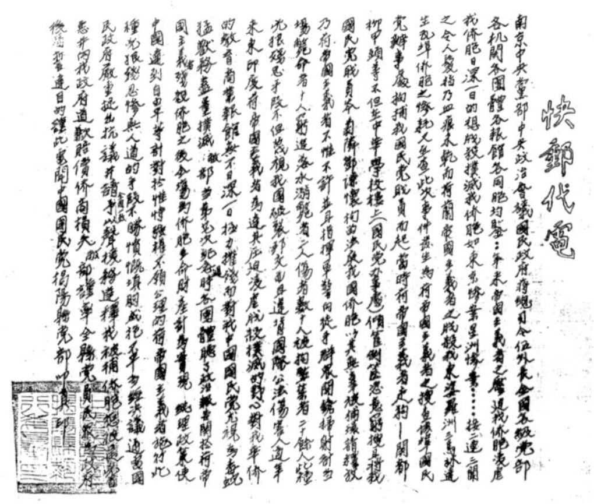
快郵代電

国民党广东省揭阳县党部给国民党中央和各界的通电

通讯社，项与年就利用这一有利条件，经常到上海并住在该社，连续报道了生瓦生瓦惨案的消息，各报纷纷转登。那时候项与年十分繁忙和活跃，与社会各界都有密切联系。终于，南京政府迫于压力，向荷兰统治者提出了抗议。尽管这个抗议显得那样软弱无力，但在项与年他们看来，持续半年多来的斗争毕竟有了一点结果，对于为国捐躯的死难侨胞也算有了一份小小的交代和慰藉。

第四章

战斗在敌人心脏

一、重新找到党

1928年春，南京国民政府侨务委员会推荐项与年出任位于上海劳勃生路的复炎学校校长。

复炎学校原名志成公学，之所以改名是为了纪念著名的资产阶级民主革命者韩复炎的。韩复炎又名韩恢，早年参加孙中山先生的同盟会，从事革命活动。参加过镇南起义和广州黄花岗起义，“二次革命”时曾继黄兴任讨袁总司令，护法运动中组织军队进攻江苏泗阳未克，败退上海后，志成公学便成为他的活动场所，1922年韩复炎被枪杀后，国民革命军为了纪念这位烈士，将志成公学改名为复炎学校。韩复炎烈士葬在南京紫金山天文台不远处，墓碑上至今有项与年亲笔题写的“韩复炎烈士之墓”几个大字。

项与年接手复炎学校时，复炎是个烂摊子，教师人手不足，没有固定经费，教学工作不正常，前任校长马志侠正是在无法维持学校正常运转的情况下辞职的。项与年到任后，即在南京政要谢持、居正等人中募捐，在他们的带动下，不少社会名流、军政要员纷纷解囊赞助，学校的经费问题一时等到解决。至于教师不足问题，他先是跟教育部要了两名教师，后又得悉四·一二反革命政变中该校两名教师作为“政治嫌疑犯”遭逮捕现在老家时，他就亲自去请。这两名教师一男一女，男的叫王徽君，杭州人，四·一二被捕后由家人保释回去。女的叫马剑华，浙江定海人，四·一二被捕后由其在沪西振华药厂做工的哥哥保出亦回到老家。项与年亲自到杭州和定海动员他俩回校继续执教。经费与教师问题相继解决后，学校工作慢慢走上了正轨。

项与年将两名因“共党嫌疑分子”遭逮捕的教师请回学校的做法，引起学校中一些右派分子的怀疑。尤其是前校长马志侠就多次跟项与年说，他俩都是有“政治问题”的，说不定还真是共产党方面的，要特别注意他们的行踪，不要使这个学校再罹难了。其实他们有所不知，他们的怀疑，正是项与年所希望的，这样他就可以找到组织了。但在表面上项与年还是一本正经地对马志侠说，在国民党的监狱里几个月都审不出他们的问题，我们还怕什么？有责任我负。马志侠无言以对。

项与年出任校长以后，勤勤恳恳地办学，各项工作做得井井有序，特别是他的华侨身份和在南京政府中“有后台”的背景，使越来越多的人向他靠拢，社会各界不断有人给赞助，一派兴旺景象。

在认真办学的同时，项与年利用各种机会积极寻找党组织。被他请回的教师王徽君和马剑华虽都是中共党员，但在被捕后也失去了组织联系，他们也在积极活动寻找党。马志侠的话总是在他心头萦绕，他特别注意王、马的行踪，看看俩人是不是真正的共产党员。后来马剑华与华东大学的地下党员陈爱民结婚，马剑华从此与组织接上了关系。同时陈爱民受党组织指派到复炎学校来建立关系。从平时的工作接触中马剑华觉得项校长为人正派、思想进步，于是就和爱人陈爱民商量准备发展项与年入党并掩护他们的工作。她和陈爱民经常去项与年宿舍玩，一起谈论家事国事天下事，关系十分融洽。当然他们并不知道项与年早已是共产党员，为了谨慎起见，项与年一时还没说出来，他还在进一步试探对方的虚实。正在这时，中央特科的李逢源和项与年接上了关系。

项与年在南京上海的活动场所经常碰到李逢源。为生瓦生瓦惨案项与年到处奔走呼吁，因此李逢源对这位“华侨”的南洋经历非常感兴趣，一见面总是问起他的南洋往事，渐渐就很熟了，进一步谈起政治和形势问题。当他知道项与年与国民党西山派“关系较好”时，便以反对蒋介石的面目出现，请求项与年帮助他搜集一些材料，搞一些手榴弹、手枪来。从李逢源的言谈举动中，项与年估计李逢源就是他要找的人，可能就是党派来找自己的。

为了进一步考察项与年，有一天李逢源约项与年一起商量出路问题，他故意在项面前表示“跟某某后面干有好处”等来试探项与年的态度，项与年劝他不要为这些军阀奔走，并以切身经历告诉他跟军阀走是没有好下场的。项与年进一步说自己原本在家耕田，只因不愿受养母的气才出来奔波了十多年，已经厌倦了政治，厌倦了这种混乱局面，准备回福建老家耕田生活。李逢源听后，一时骇然，没想到项与年反过来激了他的将，于是开诚布公地对项与年说：“兄弟，我们在一起共同找出路吧，你也不要回福建了，我再去找其他朋友商量商量我们政治上的出路。”两天后，李逢源告诉项与年他的朋友已把他俩介绍给地下党组织了，地下党决定他俩一起做秘密工作。这是一项特殊工作，实行单线联系，李逢源的朋友领导他，他又领导项与年。这样项与年就正式与党接上了关系。由于李逢源与陈爱民、马剑华都不熟悉，李逢源便指示项与年隔开这个关系。此后，来学校找项与年的人便更多了，学校成了上海地下党的一个秘密联络点。

复炎学校在项与年的领导下，一天天地兴旺起来，学生由原来的七八十人渐渐发展到二百人，几乎是清一色的社会贫民子弟。项与年经常进行家访，一方面向家长讲学生在校的学习情况和表现，另一方面通过与学生家长的促膝交谈来了解学生家庭情况和社会情况，建立社会关系。由于项与年的社会关系不断发展，前校长马志侠的妒忌之心油然而生，加之平时项与年与人交往及说话时的言谈举止，使马志侠对他的身份产生了怀疑。学校里的一些反动分子也在趁机挑衅。

一位名叫顾继武的教师对马志侠说："我看这个项校长是个共党分子……"马志侠叫他多加留神，只要抓住证据，就可以上告。顾继武拉拢一些人，鼓励他们搜集项与年是共产党的材料。他们明里暗里都在注视跟踪项与年的行踪，但由于找不到真凭实据，他们一次次地失望了。后来顾继武以每天都有许多陌生人来校找项与年，里面必定有"鬼"为由，向反动当局报告。反动当局以检查校风为名来此考察情况，同时派专人盯梢项与年的活动，"黑影"不时布满在他的周围。项与年向党组织汇报了此情况后，党组织决定项与年不要再回复炎学校并迅速转移。

当敌人突然来校抓捕项与年时，才发觉他已不来上班了。当局便以复炎学校是共党驻点为由，封闭了这所学校。

二、在中央军委机关

1930年春夏之间，组织上调项与年到中央军委机关搞情报和上层联络工作，他的直接领导换为刘子华（又名刘仲华，解放后任北京市园林局局长，“文革”中去世）。当时刘子华和项与年等负责军委一个秘密联络点的工作，这个点设在一个汽车行里。1931年顾顺章叛变时唯独不知道这个点，因此没有带特务去搜查，联络点得以保存下来。正是这个秘密联络点在情况紧急时掩护过不过中央领导同志。

1931年3月，中央特科负责人顾顺章在为张国焘去鄂豫皖根据地进行旅途安排完成任务返回时，4月在汉口化装成杂耍艺人登台表演魔术被叛徒认出，遭逮捕叛变。顾顺章过去曾经开过一家魔术店，是个流氓无产者。在革命队伍中先是隐忍苦干，待当上了党的政治局委员之后，开始变得趾高气扬，胡作非为。由于顾顺章长期负责中央特科工作，上海地下党中央机关及负责同志的情况全部掌握在他的手中，连他的家属亲戚甚至佣人都认识许多中央领导。顾顺章的叛变使我上海党中央遭受到极大威胁。万幸的是特科在南京国民党心脏中安插的钱壮飞接获这一消息后及时通过李克农报告了党中央。中央赶在敌人大搜捕之前将所有的办事机关、联络点进行了转移，所有与顾有联系的关系均被切断，结果敌人扑了个空。党的领导人在上海越来越不安全了，中央将不宜继续在上海工作的陈赓、李克农、李强等调离上海，之后周恩来、博古、陈云及中央领导机关也迁往江西苏区。不久成立上海临时中央局，作为党中央派出机构领导白区工作。

1933年，项与年的直接领导由刘子华改为从南京来上海军委情报部的王世英（1905—1968年，新中国成立后曾任山西省委书记）。刘子华在向王世英转交项与年的组织关系时对他说：“与年同志在长期工作中表现很好，对党忠诚，对工作认真负责，从未有违反纪律与不合原则的事，做了很多突出成绩，是工作骨干。他家庭负担重，生活很艰苦，党组织不忍心让他交党费，可他再困难也按时交纳党费。”

刘子华的介绍使王世英十分感动，他觉得在党和个人都如此困难的时

王世英

期，项与年能这样做真是太不容易了。他到项家了解情况，知道他的妻子王村玉闲居上海无工作，时常靠福建同乡接济度日，王世英便将项与年全家迁到上海法租界八仙桥维尔蒙路（现龙门路）德润里24号地下党中央局机关的一个联络点居住，安排他的妻子看守机关的电台。项与年的后顾之忧解决了。

三、生死关头见本色

1934年3月，应莫雄之邀，项与年受组织指派到江西德安担任莫雄的情报参谋。在这里，项与年干得非常出色，如前所述，获得了蒋介石的核心军事秘密，并亲自把这一重要情报送到党中央。项与年参加了长征先遣侦察队，但很快又被上海地下党调回去接受一项特殊任务。

为了反击敌人的围追堵截，中央决定破坏敌人运送军队和粮食弹药的重要供给线——南浔铁路，炸掉德安铁路桥、南昌飞机场和油库。为此中央特科在上海办了一个爆破训练班，党员由各地方选送，还在南昌市设立了一家出售爆炸品的商店。训练班培训结束后，组织上挑选了李姓王姓两党员去江西执行破袭任务。

一天，刘子华把两名爆破队员领到上海大饭店介绍给项与年，并交代他把两名队员带到南昌以后再分配给他们具体任务。四人见面时，为安全起见刘子华故意对两名爆破队员说项与年是自己一位可靠的国民党朋友，这次是去南昌找工作，正好顺路带你们一下，到南昌后请他帮你们找一个住处并帮忙买点东西（爆炸品）。接着刘子华暗地里分别给每人一瓶到南昌后写报告用的密用药水，并约定三人次日乘同一条船去南昌。

第二天，三人一同从上海上船，当轮船驶靠南京下关码头时，项与年即被国民党暗探捕到一个旅馆，过了约十分钟，那位姓李的爆破队员也被捕来，但没见到那位姓王的爆破队员。项与年估计，姓王的队员不是国民党派进内部的特务，就是临危叛变了，不久，项与年和姓李的队员被敌人用汽车押入南京城内一座看似民房的特务机关。项与年决定先稳住敌人，拖延时间，等候上海方面的营救或指示。敌人先是一起审讯项与年和姓李的队员，他俩都从容地相互推说不认识。敌人说："不要骗我们啦，我们是很清楚的。"后来，特务又把他俩分开审讯。特务要项与年说出去南昌的真实目的，并说只要说出来就可以保证其生活、工作和个人前途，还可以见到陈立夫（CC特务头子）。项与年拿出掩护工作用的预备证件，证明自己是国民党员，这次去南昌是去找工作做。特务问了两天，项与年都从容地随机应变，敌人每问一次就换一个特务，而且每次都用软化利诱方式，并不强迫。

第三天，敌人给项与年照了相，随即将他们转移到另一处关押。在进大门的时候，项与年故意放慢脚步观察周围情况，忽见那位姓王的爆破队员与一位抱小孩的漂亮女人正在不远处调情，满面得意谈笑风生。这证实了自己的判断，姓王的果然是奸细。项与年装作没看见走了过去。姓王的确是混入共产党内部的奸细，受训前为同济大学学生，从刘子华处接受任务后就去向国民党特务告了密，致使项与年和李姓队员被捕。项与年心中无比愤怒，恨不得一拳砸死他。项与年和姓李的被带进一间房子后，不一会儿，姓王的奸细和一个特务进来了，显得心中有底的样子，特务说："你们三人都来了，很好，王先生已全部说出来了。"项与年未予理睬。特务走开后，留下姓王的奸细来劝降。

王试探性地问项与年："怎么样？"项与年坦然答道："你们的事为难了我。"意思是说，我不是共产党，是你们共产党的事连累了我。王又说："你不是共产党？你不是共产党怎么会把我们交给你？"项说："你以为我是你们的人？我是为朋友老刘办事讲义气，这算什么共产党！"项与年估计王奸细对他将信将疑。如果什么都顶着不说，有王奸细在，敌人会断定他是共产党员，一定会采取更毒辣迅速的审讯和破坏。经过几天的审讯，他认为敌人目前并没有掌握实质性的东西，这时候只能根据自己的面目和条件，一方面骗敌人说自己不是共产党，是被别人利用的；一方面把王奸细在上海知道的一些无足轻重的情况说出来，取得敌人的相信，将敌人的注意力引向南昌，放松对上海方面的警惕，使上海地下党获得相机行事的机会和时间。而上海方面获得警报后又会通知南昌地下党、那时再寻找机会。主意打定之后，他心中便有底了。

特务继续利诱和威胁项与年说出去南昌的真实意图。过了一二天，项与年装出被特务说服了的样子，说自己早已是国民党员，因为国民党搞得不好，所以自己很消沉，但决不是共产党员。因为失业，生活上无法，得到朋友老刘的资助，所以这次是受托帮忙的。他说老刘以前是国民党胡汉民那派的人，至于以后是否加入了共产党，他没有告诉我。这次去南昌是帮助王、李布置工作，再写信回上海，他再派更多的人来南昌。并将南昌的准备关系告诉了他们。不出所料，他的这番"合情合理"的话使特务相信了。特务决定让项与年跟他们一起去南昌，好让他向上海老刘汇报，引来大批人后再收网。

一天晚饭后，一个特务来跟项与年说第二天送他去南昌，要他作好准备。这个特务出门不一会儿，另一个特务突然闯进来向他咆哮：“你他妈的，以前说的那些全是假话，有人向我报告你就是共党分子！”敌人的突然恫吓对项与年毫不起作用，他立刻意识到这是敌人在耍花招又一次考验他，于是很镇静地说：“你不相信，我也没办法，只好随你的便！”果然，这个特务马上堆笑说：“只不过试试你的，其实是相信你了，明天还是去南昌”。

次日晨，项与年、李姓爆破队员、王奸细及5名特务一同乘轮船由南京去南昌。项与年一直在思考如何通知上海地下党，终于想出了一个主意，决心冒险一试。他借上厕所之机，用规定的密语写到带在身边的一张明信片上，托上厕所的一个人替他寄往南京的一个关系点，再由南京通知上海党组织。那位不知姓名的朋友果真把明信片寄到了南京。

到了南昌，他们先是住进一个小旅馆，很快又搬到一个二层楼的楼上住，楼下住着不少特务。第二天，敌人让项与年领着去找南昌行动的准备关系：一个姓廖的家、一个女人家、一个小店，取得了特务的初步相信。稳住敌人之后，项与年用几天时间迅速摸清了住处附近的环境情况。由于敌人放松警惕，对项与年的看管也不那么严了，一天晚上，项与年偷偷跑到地下党员傅肖先家（在莫雄手下任职），说了几句话就迅速赶回来，特务没有发觉。项与年要傅肖先火速通知南昌交通站的丘吉夫去上海报警。这时距离整个计划还有十多天所谓“布置工作”的时间，可以有充分时间等候上海方面的指示。

几天后，丘吉夫即由上海返回南昌，向项与年传达了组织决定。上海地下党认为这样拖久了势必引起敌人怀疑，要求项与年尽快寻找机会逃跑，接到上级指示后，项与年利用自己熟悉的环境，找了一个机会迅速逃出来，先到地下党员刘哑佛（在莫雄手下任职）家躲藏，天黑后转移到德安专署驻南昌办事处。三天后，在丘吉夫帮助下项与年装扮成一个商人星夜出发，在天亮之前过赣江乘上汽车，再换火车走株薄粤汉线到河南信阳下车，步行到罗山县朋友黄吉甫家。几天后，由河南南下至汉口，搭日本轮船回上海。项与年之所以这样走，是事先同丘吉夫商量好的，这样做，就是要有意避开南浔铁路和九江至上海线上特务的注意，只有这样，才既能脱身，又不会把“火”引向上海。

项与年回到上海后，先找到特科的陈行健同志，然后与王世英接上关系，他在上海住了一个月，一步门也不能出。组织上认为此时项与年已不宜留在上海工作，决定派他去香港。1935年初，项与年离开了上海。

在这次被捕及脱险斗争中，项与年机智勇敢，临危不乱，挫败了敌人的阴谋计划，既保存了自己，更保存了所有的组织关系，充分表现了一个共产党员的高贵品质，被组织上授予“反敌特斗争胜利”奖。

红军长征后，国民党集中力量在上海破坏我地下党组织。上海是中国革命的摇篮，当时有“赤都”之称。在破坏中，项与年的妻子王村玉及七岁幼女连同她负责看守的机关电台一同被劫走。在敌人的审讯中，她拒绝交代任何问题，被敌人殴打致伤。在上海提篮监狱里，她多次参加狱中绝食斗争，虽经种种折磨，她也没有吐露出一点关于党和组织的秘密。七七事变后，国共两党抗日民族统一战线正式形成，经我党交涉，王村玉在坐了两年牢狱之后被释放出狱，但是她和项与年最小的女儿却由于在监狱中受尽折磨，患了骨椎结核，出狱时背部已溃烂成一个大洞，回到连城老家后不久就死去了。这件事对王村玉的刺激很大，直到几十年后，她在讲到女儿的时候还伤心落泪。王村玉这次被捕，与项与年失去了联系，从此二人天各一方，杳无音信，直到新中国成立后才又夫妻相见。

20世纪30年代初，项与年之妻王村玉和儿子项南、女儿在上海的合影。在王村玉和小女儿被营救出狱后不久，小女儿即夭折

四、从西南到西北

1935年初，项与年离开上海到香港去开辟西南方面工作，因香港组织方面出现问题没有接上关系而折回江西。这期间项与年按党组织指示，与严希纯、丘吉夫、张育民等同志一起参加了营救方志敏的行动。

这时方志敏被关押在南昌蒋介石驻赣绥靖公署军法处看守所。项与年等人多次到囚禁方志敏的牢狱附近侦察敌人看守力量和地形情况，上海地下党还派“红队”队员来南昌协助营救，计划与监狱中的关系配合起来把方志敏抢出监狱。“红队”队员们来时还准备了化装物品，打算把方志敏抢出后化装成农民逃往乡下，这些计划终因敌人防守太严而没有实现。1935年8月6日方志敏同志在南昌英勇就义。

项与年尔后又接受党的指派去香港工作，到香港后他和刘子华接上了关系。在项到香港之前，组织上派钱铁如、胡鄂公等去香港，项与年的到来进一步加强了西南方面的抗日反蒋工作。他们与广西李宗仁、白崇禧以及云南、四川等省的反蒋势力建立了关系，促使他们反蒋抗日。

1935年9月上海地下党组织遭受大破坏后，形势非常严峻，中央特科被迫结束工作，原特科的一部分同志由王世英负责转移到天津，组成华北联络局（即北方局情报部）进行情报和统战工作，在上海保留一个交通站，由丘吉夫负责，联系上海、福建、香港、南京、浙江、四川、湖南等地的情报关系。

这一年的冬天，上海交通站来信要项与年赴华北工作。他立即结束手中的工作赶到上海，找到约定好的联系人老高，老高告诉他到天津后如何同王世英取得联系。

1935年11月，长征初到陕北的毛泽东就派遣曾任中共陕西地下省委军委领导成员的汪锋去西安同十七路军谈判联合抗日问题，还亲笔给杨虎城、杜斌丞、邓宝珊写了三封信。汪锋化装成商人，不料刚出陕北苏区就被长武县民团查住。幸好长武县县长党伯弧是十七路军的人，于是派人将汪锋送到十七路军军法处长张依中那里，张据实向杨虎城作了报告。几天后某晚，杨虎城秘密约见汪锋，他提出红四方面军攻打宁强、红二十五军杀张汉民、红军如何帮助十七路军和东北军三个问题，汪一一作了回答。

杨虽对汪的回答表示满意，但因与汪素不相识，所以对汪的来历心怀疑虑。他一面要张依中好好招待汪锋，一面又派省府科长、秘密中共党员崔孟博到天津找南汉宸（南化名王剑秋，新中国成立后曾任中国人民银行行长）询问。适逢南汉宸当时不在天津，北方局便派王世英于1936年2月初随同崔孟博秘密前往西安，一是亲自与杨虎城商谈联合抗日的具体办法，二是取道西安赴陕北向党中央汇报几年来白区工作的情况。王世英见到杨虎城，证明了汪锋是自己的同志，王、汪同杨虎城经过商谈，达成了四点合作协议，这个协议由王世英带到东征前线向毛泽东、周恩来作了汇报，得到中央同意，从此红军和西北军的合作正式开始。

上世纪30年代的项与年

项与年到达天津时，王世英因去西安而交待陈雷（又名迅雷、王德伯，新中国成立后曾任山西省人大常委会副主任）同他接关系。为了掩护工作，项与年在交接关系时将自己的名字改为梁明德①。很快，项与年又见到了从外地赶回天津的南汉宸。

为了开辟十七路军和东北的统战工作，组织上决定调刚到天津的项与年去西安工作。1936年4月，他由南汉宸介绍到西安找崔孟博接头，通过崔项与年还见到了经西安返天津的王世英。紧接着，项与年去瓦窑堡向周恩来汇报工作情况，周恩来热情地接见了他并充分肯定了他所做的工作。周恩来和邓颖超还同他愉快地回忆起十年前在广州见面时的情景。之后，周恩来安排项

① 项与年在天津改名梁明德后，在延安和东北工作时一直延用。本书为叙述方便统一使用项与年这个名字。

与年到中央白区工作部，同吴德峰一起进行联络西北军、东北军上层人物的工作。

5月间，党中央派项与年去西安，是经过杨虎城部防区的路线过来的，从此党中央与杨虎城部队的联系开始恢复[①]。这时从上海来西安的军运特派员通过杨虎城的秘书王菊人向杨虎城转达了《中共中央关于目前形势与党的任务的决议》的有关精神，并写了一个工作报告交项与年带回中央，不久就得到了周恩来的回复，对开展杨部上层工作一事给予嘉奖。

据当时在东北军中做统战工作的刘向三同志回忆，当时频繁往来于党中央和西安之间的项与年经常住在西安安居巷乙17号我党秘密联络点里。这里与杨虎城将军的军法处长张依中为邻，距张学良公馆也不远，是一所小四合院，虽处在碑林地带和繁华区，但也还僻静，人员来往不太引人注意。党内的同志称之为"六国饭店"。吃饭由住在那里的同志轮流值班，就在烤火的炉子上煮。项与年为我党在西北军、东北军的统战做了大量工作，为推动张学良、杨虎城发动西安事变作出了自己的贡献。

项与年在西安还碰巧遇见了原在上海复炎学校的老师马剑华和他的爱人陈爱民，这两位地下党员当时在西安教育厂工作。老友见面分外高兴。陈爱民把他们这些年来所做的工作写成详细报告托项与年转交上级党组。

西安事变之后，项与年调任保安至北平间的秘密情报交通，由中央联络局局长李克农领导，负责党中央与华北联络局之间的情报传递。因为这时党中央机关已由瓦窑堡迁至保安县（今志丹县，1937年1月7日又迁至延安），而华北联络局亦由天津迁往北平。项与年在陕北与北平间跑了近一年的交通，为营救关在北平草岚子监狱的河北省委领导出狱传递过重要情报。

情报交通工作是党的工作的神经系统，项与年为此呕心沥血，多年为此默默无闻地奉献出自己的一段宝贵年华。

---

① 《中共东北军地下党工作回忆》，中共党史出版社 1995 年版，第 157 页。

第五章
延安岁月

一、到延安学习

1937年7月7日，卢沟桥事变爆发后，中国革命进入全面抗战阶段。革命圣地延安成为全国人民向往的地方。为了保存我党白区干部的精华和为解放区输送干部，党中央决定将一批长期在白区从事地下斗争的干部如王世英、南汉宸、陈雷、刘子华、丘吉夫和项与年等调回延安，先进入抗大、学校、马列学院学习，然后再分配去独当一面的工作。

1938年初，八路军西安办事处处长伍云甫把项与年的关系转给中央组织部。组织上很快安排他进抗大第四期第五大队学习。第五大队校址在庆阴镇，大队长为何长工。毛泽东于5月20日为四期开学题词："学好本领，好上前线去"，还把"坚定正确的政治方向，艰苦奋斗的工作作风、灵活机动的战略战术"，"团结、紧张、严肃、活泼"作为抗大的教育方针和校训。抗大的大多数课程是由中央领导同志亲自上的。毛泽东曾亲自给他们讲抗大民主问题，朱德讲党的建设，董必武讲中国革命现代史，张闻天讲中国革命问题，博古讲马列主义基础知识，萧劲光讲游击战术……

学员们在课堂上针对王明提出的"一切经过抗日民族统一战线"、"一切服从统一战线"的观点展开讨论：是党的领导高于一切还是一切服从统一战线、一切经过统一战线？项与年在发言中结合自己的白区工作经历，强调独立自主和保证党的领导在抗日民族统一战线中的重要性。4月4日，张国焘趁清明节到黄帝陵祭奠之机出走叛逃，后中央又放走了张的老婆，很多人想不通，在讨论中项与年对张的叛党行为进行了谴责。

这期间，他听说毛泽东和江青要结婚，当即表示反对。因为他在上海中央特科工作时就跟文艺界很熟，他知道江青一向名声不好。出于对党的忠诚，对革命事业的忠诚，他和王世英、陈雷、南汉宸、谢祥荫、申伯纯、肖明、丘吉夫、刘子华、阎揆要、王超北、邹大鹏、余宗彦等人一起联名给毛泽东写信，认为毛泽东同江青结婚很不合适[①]。这封信当时交到中央领导人张闻天

① 《王世英》，《中共党史人物传》第26卷，陕西人民出版社1985年版，第309页。

手里，一些中央领导同志也希望张加以劝说，这样张闻天就以个人名义给毛泽东写了一封信让警卫员送去，大意是：你同贺子珍合不来，离婚，大家没有意见，再结婚也是应该的，但是否同江青结婚，望你考虑，因江青在上海是演员，影响较大。这样做，对党对你都不大好。但当时中央社会部部长康生却向毛泽东打保票，并写下书面证明“经调查，江青同志政治上无问题，其历史清白”。这年的11月底，毛泽东和江青在延安供销社摆酒两桌举行婚礼时，张闻天未在被邀请的宾客之列。这件事，反映了项与年等人对党和革命事业的高度责任感。

同年冬，项与年转入滕代远领导的中央军委主席参谋训练队学习军事理论。1939年秋，又进入桥儿沟中央党校三十五班学习。在中央党校项与年所学课程跟抗大差不多，但所学内容要更深一些、更系统一些，时间也要长一些。

项与年在这里聆听过毛泽东的报告《矛盾论》《实践论》《论持久战》《中国革命战争的战略问题》，毛泽东用政治家的豪情和诗人的气质、风趣幽默的话语阐述辩证唯物论的精华，教育大家认识世界改造世界。刘少奇所作的《论共产党员的修养》从思想意识和组织纪律等方面深刻地阐述了作为一个共产党员所应具有的品德，大大增强了学员们做一个无限忠诚的共产党员的自觉性。陈云同志讲《党的建设》从党的建设中最具体、最广泛的问题出发，结合党纲党章和党内生活的实际，解决党员思想和党的生活中最主要、最现实的问题，生动活泼，很富吸引力。这些中央领导都用通俗易懂的例证来阐述深刻的理论问题，引人入胜，受到学员们的极大欢迎。项与年不大喜欢听康生作报告。康生作报告时总是爱搬一大摞俄文版的马恩列斯著作，讲一句当场翻译一大段，就像小学生背书，照本宣科，索然无味。

项与年长期在白区工作，由于战斗生活和工作的特殊性，对党的政策了解不够全面和系统。经过抗大、军委参谋训练队、中央党校两年的系统马列主义教育，他的思想水平有了很大提高，掌握了马列主义基本理论和党的组织生活方面的知识。他在学习后的总结中说：“过去由于工作环境和条件的限制，多数是一个人包办式地工作，仅凭一腔热血和勇气单枪匹马去闯，而对革命工作的意义没有全局上的认识，更谈不上革命理论的指导。由于知识的贫乏，许多时候都是盲干和蛮干，形成不少‘左’的表现。现在通过一系列的理论学习，大大提高了自己政治理论水平，丰富了自己的马列主义知识。”在延安，经过系统理论学习后的项与年，成为一个更加成熟、更加优秀的党的干部。

二、任关中分区和绥德地委统战部长

1940年春，项与年结束在中央党校的学习后，被分配到陕甘宁边区党委统战部担任干事，从事党的统一战线工作和回、蒙等少数民族问题的研究。

1941年4月，项与年调任三边（安边、定边、靖边）分区任党委常委兼统战部部长。这里紧邻内蒙古的伊克昭盟和宁夏，有大量的蒙民和回民，尤其在定边，有不少从宁夏跑过来的忍受不了回族军阀压迫的回民。当时分区党委书记是白治民（新中国成立后曾任中组部副部长），统战部只有项与年和一位姓白的女干事，任务相当繁重。

此时正是陕甘宁边区最困难的时期。皖南事变后，外援完全断绝。随着根据地的扩大，非生产人员的增加，特别是日本帝国主义和国民党顽固派的军事包围和经济封锁，财政被迫走上自给。当时困难到几乎没有衣穿，没有鞋袜穿，冬天没有被子盖，没有菜吃，没有油吃，各机关、学校、军队几乎断炊。从1939年开始的大生产运动，到这时成为规定和制度化：每个人都要交公粮，都要自己纺线缝衣穿。毛泽东和中央领导也不例外。毛泽东紧紧抓住当时整个革命链条上生产运动这个“环子”，号召“自己动手、丰衣足食”，把革命航船引向前方。

项与年跟其他同志一样过着异常艰苦的生活。没有油吃，主食糜子也不够，吃菜就是自己种的一点芹菜和圆白菜；没有纸用；穿的是打了很多补丁的破衣服，冬天连棉衣都没有。机关开了一个小商店，几乎挣不到钱。分区党委所在地——定边盛产食盐、皮毛和甘草。项与年提出“红白通商”，来解决日用必需品的短缺。他不顾自己体力弱，照样带领群众去盐湖打盐、运盐，然后用食盐同阎锡山、胡宗南的部队换来布匹、小五金、纸张等物品。这种通商实际上也是一种十分有效的统战工作形式，在商业交往的接触中可以向国民党军队宣传停止内战、一致抗日的道理①。

为了进一步扩大抗日民族统一战线，加强根据地民主政权建设，实行

① 据白治民的回忆。

“三三制”，边区开展了普选运动。项与年积极做好定边、安边、靖边各县非党参议员的选举工作，民主人士非常满意，对党的工作给予了尽其所能的支持。由于正确贯彻了党的民族政策，这时在定边还涌现了回民模范乡，出现了李姓汉民模范户，项与年以自己一贯的无私和律己，把自己多余的土地、空洞让给从宁夏逃来的回民耕种、居住。

由于出色的工作成绩，1942年4月项与年被调到关中分区担任党委常委兼统战部部长。关中是我党同国民党反动派斗争最前沿的阵地，这里的工作一直受到毛泽东的称赞。项与年被派到关中，足见党中央对他的信任和重视。

在分区党委书记习仲勋的领导下，项与年一边努力工作，一边积极参加党中央发起的整风运动。毛泽东视整风运动为整个革命链条的另一个“环子”，要求大家痛痛快快地在整风中洗一个澡，然后轻装上阵，以利再战。项与年认真学习毛泽东的整风报告《整顿党的作风》《反对党八股》等，对照检查自己思想上有无主观主义和教条主义，看看自己有无犯过错误的“伤痕”。

在实际工作中，他认真贯彻执行党的民族平等政策，反对国民党大汉族主义的民族压迫政策和狭隘民族主义思想，主张各民族平等团结，共求解放。他尊重这里蒙、回等少数民族的宗教信仰、文化和风俗习惯，并扶助其文化发展，消除历史上的民族隔阂。他以身作则，用自己的模范行动影响周围的干部群

关中回民大队队员

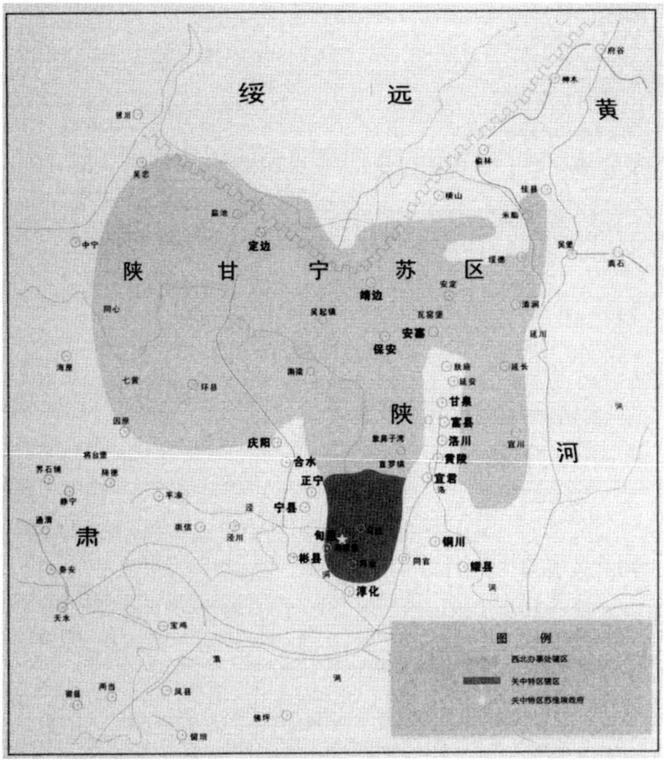

分委书记	宣传部长
习仲勋（1937.10–1942.7）	郭炳坤（1937.10–1942.7）
张德生（1942.8–1945.12）	高仰云（1939.8–1942.12）
秘　书	强自修（1937.10–1941.6）
杨在泉（1937.10–1940.12）	统战部长　孙作宾（1941.7–1941.11）
师　源（1941.1–1942.12）	梁明德（1941.12–1942.12）
张凤岐（1937.10–1939.7）	军事部长　张仲良（1937.10–1942.12）
组织部长	《关中报》社长　高仰云（兼）
杨成森（1939.8–1940.4）	
王月朗（1940.4–1940 .11）	
惠庆棋（1940.11–1942.12）	

关中地区把守陕甘宁边区的南大门。上图为关中地区在陕甘宁边区位置图。下图为中共关中分委领导成员名单

众，在促进民族团结方面做了大量具体细致的工作。在回民聚居的地方建立起回民乡和自治区。在民族杂居地，教育群众搞好团结。如当地有些汉民不食猪杂和猪蹄子，杀猪时往往扔之路边，回民见了十分不满。项与年知道后就深入到当地汉民中，向他们宣传“回汉一家”、团结抗日的重大意义。有时去农村工作，见到群众杀猪，便主动帮忙，并把猪杂和猪蹄子做成美味的熟食请群众品尝，群众很快就接受了这一“新鲜事物”。遇到有些群众实在不能接受的，就说服他们卖给政府食堂。又如由于食物奇缺，当地汉民经常到回民村庄用火药枪射杀乌鸦，引起回民不满，他出主意让汉民深夜摸上树去抓活的乌鸦，他自己还在深夜去树上抓过乌鸦并做熟送给同事吃。在一定程度上化解了回汉群众的矛盾。他还从统战部拿出一些钱来去维修清真寺，使信教的群众从心底里感谢共产党。

由于群众积极性被调动起来，加上政府的多方扶助，回民经济得到较快发展。据中国回教救国协会陕甘宁边区分会1943年报告：关中的回民经济与1936年相比，提高50%以上[①]。

在关中工作近一年后，项与年又被调任绥德地委统战部长。他到绥德以后，习仲勋也从中央西北局党校校长调任绥德地委书记。绥德地区辖米脂、吴堡、清涧、葭县等，是陕甘宁边区人口最多的地方，有70万。绥德的民主人士多，担任统战部长的项与年工作范围扩大了许多，肩上的担子也更重了。当时陕甘宁边区政府副主席李鼎铭、边区参议会副议长安文钦、边区政府教育厅长贺连城、建设厅长霍子乐等都是绥德籍的民主人士。除了做他们的工作外，项与年还要做驻扎在榆林地区国民党第二十二军的统战工作，同他们暗中商定停止打仗，互通情报。

40年代初，项与年认识了同一地委机关工作的女干部吴健。吴健是湖南长沙人（她的舅舅是著名的革命烈士夏明翰），1935年夏毕业于北平幼稚师范学校后，在北平西郊核桃园实验小学教书。1936年3月由牛荫冠、戴自庵介绍加入中国共产党，也曾是中共秘密战线的一名女战士，后由组织调往中共山西工作委员会机关任文书工作。1937年9月参加中共山西党训班，结业后进入

① 《回族简史》，宁夏人民出版社 1978 年版，第 94 页。

上图为旬邑马栏镇关中分区党政军机关驻地。分区干部办公居住的窑洞都是他们自己动手修建的

下图为绥德地委旧址

延安，在延安的陕北公学学习一年后，被分配到晋西北工作，不久调回延安。1941年6月进入中央党校学习，后分配到陕甘宁边区政府保安处科员，1942年初调绥德地区宣传部任组织干事，并在这里结识了项与年。后由于工作上的关系接触较多，相处融洽，经组织同意，两人于1943年4月在延安绥德结婚。新中国成立后，吴健先后任东北工学院系总支书记、鲁迅艺术学院党委书记、辽宁省教育厅副厅长等职务。

项与年和习仲勋一起，带领群众投入了轰轰烈烈的大生产运动中，他们以身作则，带领群众上山开荒、拾粪施肥、打土、种谷子、种蔬菜。项与年纺的棉线全是质量很好的头等线，他还想出办法在原纺机上加了一个加速器，使纺线速度大大加快。绥德地区各县还发展了纺纱和织布的变工，进一步提高了生产水平。项与年用多纺线得来的零花钱拿到延安合作社入股。后来他去东北时就是用在合作社入股的钱买了一头骡子和一头毛驴，这很能说明他纺线的成绩[①]。为完成任务，他还和其他领导同志一起去挖硝。硝是制造火药的原料，只有到旧厕所、旧墙角、石缝处等很脏的地方才能挖到。他总是不怕脏、不怕累，上交的硝总是超额完成任务。

三、在中央党校参加整风学习

1943年6月，中央调项与年到位于延安王家坪的中央党校二部参加整风学习，直至1945年度离开延安。二部的领导是张鼎丞。

在二部时，他认真学习毛主席整顿三风的报告和其他整风文献，反省自己思想和工作作风，在党支部里审查自己的历史，对照检查写自传。现在能见到项与年的自传就是写于这个时期的。他在1944年3月21日的自传中对自己的家庭背景、入党动机、赴南洋以及在中央特科工作中的不足与缺点，作了认真系统的检查总结。是一份宝贵的革命历史资料。

整风学习过程中，不断有中央领导来二部作报告。周恩来从重庆回到延安，党校副校长彭真请他作报告。周恩来讲了半天多，其中讲到皖南事变后，党中央和中央军委在毛泽东的领导下不卑不亢、针锋相对，采取了很多措施对付国民党，很快打垮了国民党第二次反共高潮。朱老总讲军事问题。

整风运动后期，康生搞“抢救失足者”运动，大搞“逼、供、信”，白区地下党的许多人被打成所谓“红旗党”特务，不少同志受审查，蒙受冤屈。项与年据实向中央社会部介绍特科工作的特点和实际情况，帮助搞审查工作的一些领导了解白区地下工作，还为一些同志作证及澄清问题，表现了一个共产党员敢于同错误倾向作斗争的革命精神。

项与年在上海跟自己的亲生骨肉失散以后，身边没有小孩。于是就萌发了收养一个烈士后代的想法。1944年的某一天，他到延安保育院小学领回一个叫郝玉珍的小女孩，这个小女孩后改名叫梁西（意即从西边来的）。项与年和吴健把这个养女培养成人，后来进了沈阳东北工学院。

1945年8月15是，日本宣布无条件投降。9月2日，日本裕仁天皇的代表重光葵在投降书上签字，至此中国人民历时八年之久的民族解放战争胜利结束。日本投降的消息传到延安，整个山城沸腾了。延安军民敲起锣鼓，放起鞭炮，项与年敲着脸盆汇入盛大的火炬游行队伍中，到处是火的海洋、红旗的海洋、欢乐的海洋。

苏联出兵东北后，解放了东北大片领土。东北的得失关系到中国革命的成败。9月中旬，党中央根据当时形势果断地决定配备一百个团以上的干部到东北去，以建立巩固的东北根据地。不久，中央又决定派遣彭真、陈云、张闻天、李富春、高岗、林彪、罗荣桓等20多名中央委员和候补中央委员率领两万干部和十万大军进军东北。

在中央党校学习的项与年坐不住了，向组织申请坚决要求到艰苦奋斗的东北去。组织上考虑到他已近50岁，身体又不太好，开始不同意他去。由于他一再请求，态度坚决，组织上终于批准了他的申请，分配他去松江省（属现黑龙江省）延寿县开辟工作。他一得到通知，就和妻子商定用纺线攒下来的钱买了一头骡子、一头驴。10月2日，项与年夫妻和警卫员赫夫友、秦德金、金玲及养女一起随三五九旅从延安出发向东北挺进。他怀着依恋的心情，告别了自己生活战斗了七年的革命圣地，告别了巍然耸立的宝塔山和蜿蜒奔流的延水河，奔向五六千里之遥的白山黑水。

第六章
经营东北新解放区

一、主政延寿县

离开延安后，项与年一行就在天寒地冻的路途中跋涉。行军中夜宿民房没有热炕，常常挨冻挨饿，并且必须随时准备投入战斗。当时日本虽已宣布投降，但有的日军还在负隅顽抗，有的日军只向国民党缴械而不愿向共产党投降。此外，还有伪满洲国保安队的处处设阻。有时为了通过敌人的一个炮楼碉堡，往往要从早上等到天黑，直到夜幕降临，由地方民兵掩护才能悄悄过去。

从延安到东北，长路漫漫，由于路途遥远，项与年腿都渐渐走肿了。在山西兴县，项与年遇见老友、晋西北地区的公安处长唐政文。为了能够让项与年顺利到达东北，唐政文送给他一匹战马、一支小手枪，还有一名警卫。途中遇到的最大一次险情是在秀水河地区，当时与伪满洲国的一支保安队正面遭遇，项与年提着三号撸子身先士卒，带头冲锋陷阵，通过激战将保安队打垮，胜利通过了秀水河。虽然他身患胃病，经常咯血，但项与年总是保持着乐观的革命情绪，当大家走累了，他就给大伙讲笑话以解疲劳。

他们经兴县、张家口、尚志县，于1946年1月终于抵达目的地松江省延寿县。

延寿县位于蚂蚁河中游，县城面对长寿山，这里闭塞贫穷，原是日本“开拓团”的驻地。1945年10月19日松江省政府主席李兆麟任命朱殿超为延寿县民主政府县长，接管了八·一五日本投降后成立的延寿县治安维持会。

八·一五光复后的延寿县，仍然把持在日、伪、满时期就盘踞在延寿县伪警察署署长兰金甲为代表的反动势力手中。他们与土匪、地主恶霸相勾结，组建了较强大的县保安大队。妄图东山再起，肆意进行骚扰破坏，残害人民，严重威胁着人民政权的建设。尽管在项与年到任之前我们党的组织曾派工作队进驻过延寿县，但由于敌我双方力量悬殊，未能站住脚。项与年进驻延寿县时，虽然带了一定的武装力量，但很弱小，随时都可能遭到敌人的袭击。

县政府任命兰金甲（外号兰大头）为县公安局长兼县保安大队长。兰金甲出身于大地主家庭，1944年充任伪满洲延寿县警察署长，日本投降后又当

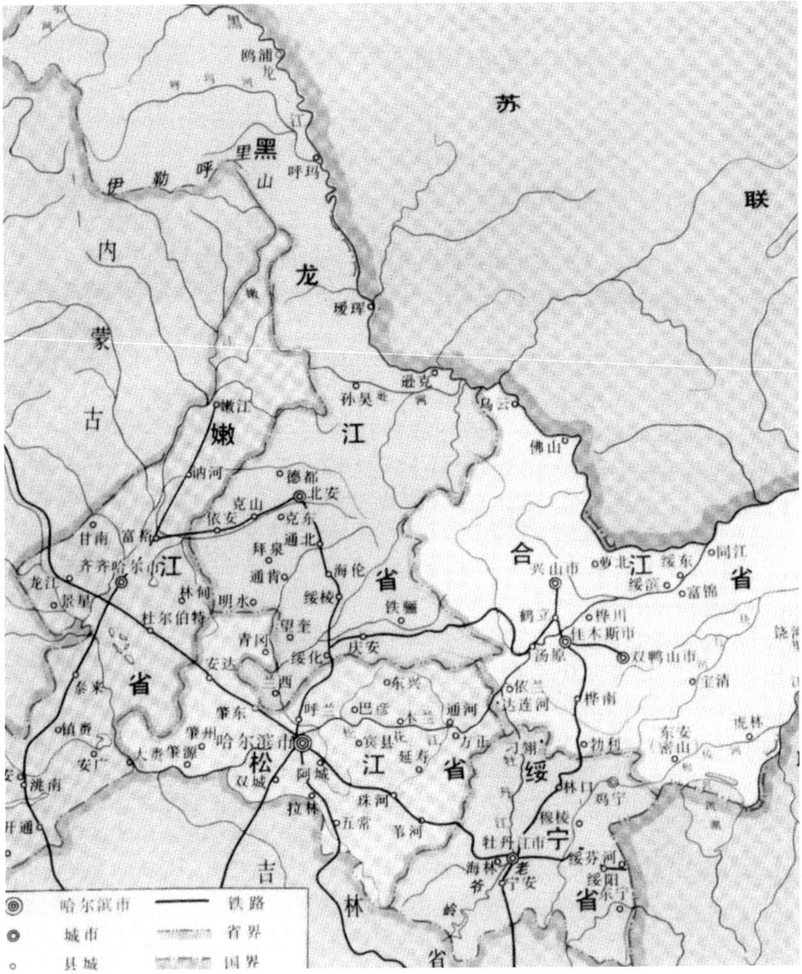

解放战争初期的黑龙江五省地图。延寿县在松江省东部

上了延寿县国民党党部的警备科长。他虽然当了共产党民主政府的公安局长，但暗中仍与国民党联系，盼望中央军来接收延寿。这时，各派投机分子以建军为名，委以兰金甲旅长等要职。国民党县党部也暗中唆使他叛变，推翻共产党的县政府。但他畏于驻延寿的苏联红军，始终未敢妄动。

1945年12月，有个声称是东北挺进军第二军的人，从延寿县武装保安大队内部策动，致使保安大队副队长杨贵要挟兰金甲叛变。21日上午，保安队将县长朱殿超、上级派来延寿工作的老干部刘志民、驶原野、张进等逮捕投入监狱，推翻了民主政府，但由于兰金甲和朱殿超的父亲交往甚深，所以他未同杨贵打招呼就把朱殿超一人放了回家。杨贵很气愤，但也没办法。其他三位被关同志直到三五九旅解放延寿时才从监狱出来。

1946年1月24日（腊月二十二日），项与年和三五九旅老七团、老八团从尚志县向延寿推进。兰大头听说共产党的正规部队即将开进延寿，准备垂死挣扎，与尚志县的刘作非勾结起来，在长寿、横头山和平安堡一带设伏阻击，然而一经接火，便被三五九旅击溃。第二天清晨，三五九旅由东北门攻入延寿县城，彻底打垮了反动保安大队，兰大头惊恐万分，跳出城墙，摔伤胳膊逃往哈尔滨。

这天上午，项与年和三五九旅的王一青找到原县长朱殿超及刚出狱的三名老干部，经过协商，由王一青担任临时县长。过了十几天即春节过后，王一青随三五九旅撤走，经过民主选举项与年被推选为民主政府县长。

项与年面对当时延寿县反动势力猖獗，人民生活贫困，斗争形势复杂，工作任务艰巨的情况，在全体干部、战士大会上指出，多少年来延寿人民在日、伪、满反动势力长期统治下，一直处在水深火热之中，挣扎在死亡线上。如乌吉密、腰岭子、靠山屯等山区，一家几口人，只有一两身破烂衣服轮流穿着去干活，一家男女老少盖一床破被子，亟待我们去领导他们翻身闹革命。项与年又说：解决个述问题的关键是放手发动群众、组织群众、武装群众，进行剿匪反霸，土改分田，建立人民的各级政权组织和武装力量。否则我们就站不住脚，就不能像鱼在水里游泳那样自由，因而也就难以控制住延寿县的形势……

项与年在延寿做的第一件事是加强新生人民政权的建设。当时为了巩固和建设好新生政权，三五九旅留下了一些干部，他们是：李龙琪、杨超、刘雁林、郝夫友、张景泰、王始更、毛化初、王馥、邹问轩、周正等。李龙琪担任县委副书记、杨超后来任县长、刘雁林为县公安局长、郝夫友为县警卫连指导员，吴健为县保安科科长，朱殿超负责民政工作。还成立了参议室，参议员的参议证上都有项与年的题字：“说人民要说的话，办人民要办的事。”

为了保卫新生的人民政权，项与年彻底改造了县保安大队并建立起人民自己的武装——延寿县警卫连。原县保安大队是镇压人民的反动武装，大多数人劣迹斑斑，且与逃入山林中的土匪有密切联系。针对这种情况，项与年指示办学习班对他们进行强制性改造。他还亲自训话要他们洗心革面，立功赎罪，重新做人。之后再通过审查、甄别，绝大部分予以清退回家，让他们劳动改造、自食其力；只留用几名出身穷苦、因生活所迫而进入保安队混饭吃的人。同时项与年吸收一批有勇敢献身精神、有工作热情、痛恨国民党民族压迫的朝鲜族青年和一些有阶级觉悟的农村青年共同组成县警卫连，县公安局长刘雁林兼任警卫连连长。警卫连有100多名干部、战士组成。后来县政府动员各村屯建立起民兵、自卫队组织，县里组建了有12个连组成的延寿独立团，周正为团长。这些武装部队对维持治安、清剿土匪起到了很大作用。

二、领导剿匪斗争

1946年2月，三五九旅撤离了延寿。换防的一分区部队还没来延寿前，特别是5月以后，匪患四起。全县人民尤其是山区人民陷于土匪、保安胡子、国民党地下军队的扰乱之中，人心惶惶，城乡不宁。刚刚开始的土改、清算斗争以及群众生产和生活，都受到极大的干扰和破坏。

当时，在全县境内有所谓的东北挺进军第七师、第一纵队十二师、保安军九十五师、哈东指挥部二二三师等国民党军，这些番号，听起来牌子不小，其实都是接受国民党委任的土匪武装——中央胡子，并非国民党正牌军。其中以国民党东北保安长官司令部保安军第四军第九十五师师长王兴武为主，他纠集朱清平、崔景胜、张学山等匪首（皆为师长），收罗匪徒500多人，活动于张太沟、曹大院一带，反动气焰极为嚣张。在县城南部靠山屯、陈家营、老西沟一带有中央胡子辛永亮、孙景文、邓文江、何文秀和保安胡子中队长王海山，伪满特务、匪政治教官李有等股匪300多人，除配有步枪外还有两挺机枪。东部加信、中和区以南一带有伪军三十四团团长韩焕臣、惯匪赵青山、伪保安队第四中队长李镐。在北部新立村附近有国民党武术团长、大刀会头目殷成礼率匪徒500多人。新立村自卫队队长马守发率队占山为王。加信西北有惯匪范双山60多人，配有一挺轻机枪。在平安南一棵松一带，匪首殷福德有80人，有步枪60余支。在西北部大青川至宾县边界，有匪首第三旅旅长“北来”和惯匪“老二哥”、“密林”、“于八合”、“老来好”、“一麻脸”几百人。西部黑龙宫一带有地主武装保安队长黄宝金和王玉山、王凤岐等股匪300多人。在长发一带有刘先卿匪队40多人活动。

面对猖獗的土匪活动，项与年提出“缴枪的放，捉住的杀”这样镇压与宽大相结合的武装围剿方针，进行“猛打、猛冲、猛追”，以毙俘匪首、消灭股匪为目的的歼灭战。

延寿县警卫连、独立团配合当地驻军对土匪进行了五次大出击：第一次直捣南部姜家街、老西沟匪巢，匪徒望风而逃；第二次突击围歼东南面新开道、陈家营的匪部，除少数逃跑外，其余全歼；第三次围剿北部股匪时，连续

剿匪部队整装待发

即将随军出发的剿匪民兵组织

部队深入密林剿匪

两次与匪徒交火，边打边追，一直追到方正、宾县交界处的太安乡新村，匪徒死的死、伤的伤、跑的跑、降的降；第四次在正西方向将黑龙宫一带的匪徒全歼；最后一次是在兴隆镇西北，追击“密林”“老来好”“于八合”“交的宽”等股匪，一直追了8天，追到宾县大于店。匪首“密林”吕相臣被追逃到长发区刘家屯，在项与年派去的收降员张永华的劝说下，于1946年9月24日率47名匪徒携带27支长短枪向县政府投降，政府给他们办了3天训练班后，放回家参加生产劳动。“老来好”等匪首在宾县宁远被活捉。

对于几次围剿中活捉到的罪大恶极的匪首和惯匪李有（伪特兼国特）、朱清平（建军师长）、李景义（特务、伪警尉）、“老来好”、“于八合”等，项与年都通过群众公审大会的形式，先后于1946年6月和10月在县城北门外将他们处决。大刀会头目殷信礼、建军头子杨占春也分别在城东李家店和玉河区被处决①。

镇压和宽大相结合的政策，有力地震慑了敌人，同时也教育了匪徒家属。同时加强政治攻势，组织父母找儿子、妻子找丈夫、亲戚找亲戚、朋友找朋友，使一些土匪迷途知返，弃恶从善。项与年也做了延寿最大的政治匪首王兴武亲属的工作。经过其亲属从中串联，王兴武的思想开始动摇，他看清了摆在自己面前的形势，如果继续走下去只能是死路一条。因此，有心悬崖勒马，交枪投降，但又怕县政府说话不算数。于是提出一个先决条件：如果县长亲自到哈尔滨去和他谈判，不准带兵，只准带一名警卫，那么他就考虑投降。项与年为了收降他，尽量减少牺牲，就答应了他的条件，并决定亲自去进行谈判。当时，县里其他同志都不同意，认为王兴武穷凶极恶，什么事都可以干得出来，还是采取武力围剿好。最后，项与年说服了大家，带上妻子、县保安科长吴健一起前往哈尔滨。项与年按时赶到哈尔滨的约定地点，却不见王兴武的踪影，警惕性极高的项与年立即意识到情况不妙，于是赶快转移隐蔽起来②。

原来王兴武在恐慌之余得知国民党已于1946年5月19日攻占东北重镇四平市，并扬言要拿下哈尔滨，东北民主联军被迫向东北的中小城市撤退，王

---

① 《延寿文史资料》第三辑，第87页。

② 据吴健的回忆。

兴武便认为共产党是“兔子的尾巴长不了了”，因而改变了主意，并疯狂地纠集延寿所有股匪1200多人，集结在县城周围，并与城内地下军王守洲、赵海楼密谋，定于6月18日拿下县城，颠覆民主政府，夺取政权，然后西下，配合国民党向北满进犯的匪军攻占哈尔滨。

项与年立即进行战斗动员和部署，在敌人行动之前，将地下军组织破获，活捉了匪首赵海楼，来换防的一分区部队也及时赶到，围城匪军不战自溃。王匪部后在我军不断围剿中逐渐崩溃，王兴武随即潜逃到牡丹江市伪装成小贩，秘密活动，伺机东山再起。后在挖匪根中，延寿城关区积极分子冯成武探得了王匪的地址，在公安局的协助下，仅三天就在牡丹江市将王兴武逮捕归案。逮捕他时缴获委任状5张、臂章1枚、训令1张。该犯归案当天，街头巷尾万众欢腾，庆祝延寿捉住了众匪之首，除掉了一大祸害。继王兴武捕获之后，又从牡丹江市捉回了建军旅长、兰金甲保安大队大队副杨贵。两匪随后皆由群众公审处决。

从1946年4月开始，经过差不多一年的群众性武装剿匪，延寿县全境明的、暗的匪徒全部被肃清。据不完全统计，共挖出大小匪首70名，其中师长2人（王兴武、朱清平）、旅长1人（杨贵）、团长5人、营长7人、连长4人。起出轻机枪1挺、步枪516支、短枪61支、子弹近3万发、手榴弹190余枚。安定了人心、激发了民众，推动了当时各项工作的开展。

在项与年和县委的领导下，延寿县发生了翻天覆地的变化，政权稳固，人民安居。1946年9月，当国民党军队准备进攻松江省会所在地哈尔滨形势紧张之时，由于延寿县各项工作做得出色，松江省委、省政府的部分机关便迁到延寿，这里一时成了哈尔滨乃至松江省的政治、军事中心，直到形势稳定之后，松江省委、省政府才迁回哈尔滨。

三、领导土改运动

在领导武装剿匪的同时，项与年从1946年4月开始就陆续向全县各区派出了十几支土改工作队：李龙琪率领的四区工作队、刘志民率领的平安区工作队、吴健率领的城关区工作队、林晓和毛华初率领的长发区工作队、刘振东率领的玉河区工作队……领导群众掀起轰轰烈烈的土地改革运动。

四区土改工作队于4月来到延寿最东部的加信镇开展工作。工作队刚来时，面对的是多如牛毛的胡匪，各霸一方的地主土豪和劣绅，工作困难重重。他们意识到要打开工作局面，必须抓基本群众，抓骨干力量。于是先深入到农村、厂店调查，在最穷苦的工人农民中发现培养了一批土改积极分子和运动骨干。然后镇压了占有1500余亩耕地并对土改干部进行策反的张家油坊屯大地主张士林，有力地打击了土豪劣绅的反动气焰，并通过政治攻势和武装围剿同时并进的方针解决了韩焕臣、李镐、赵青山等股匪问题。形势稳定后，再向群众宣传土地法大纲，进行土地改革，使无地或少地农民分得了土地及部分农具和粮食。

平安区土改工作队是6月20日进驻四海屯、林家屯、隋兴屯进行分配土地试点工作的。在此之前我剿匪部队已击溃了该区大地主魏国璋200多人的红枪会和贯匪殷福德80多人的保安队。工作队进驻平安区后，认真宣传贯彻中央关于土地问题的“五四指示”精神，建立了以贫雇农为主的积极分子队伍，摸清了地主富农的政治、经济情况，发动群众向地主开展了算剥削账的清算斗争。仅一个月的时间，就清算出退租粮食961石，耕

土改工作队帮助农民进行土地调查

畜34匹（头），猪56头，现款50多万元。群众情绪极为高涨，纷纷要求分地，实行耕者有其田。

农民在土改中分到胜利果实

由于当时中央对东北新解放区的土地改革没有明确详细的具体政策可供遵循，当年5月4日中共中央通过的《关于土地改革问题的指示》也没有对如何分配土地作出有关规定，土改工作队又缺乏经验，所以当时在分田过程中平安区采取了过于照顾劳动力多的农户，主要是中农、富裕中农的“按劳分配”的办法，即以整（全）劳动力为标准，将所有的大人小孩分别划为：全劳动力、半劳动力（大多数为妇女）、三分之一劳动力（小孩），然后按劳动力多少分配土地。这种“按劳分配”的办法在执行过程中越来越被那些小孩多、劳动力少的家庭的反对。工作队对这种过于照顾劳动力多的分配方法，也逐渐觉得不适应解放了的延寿县的实际情况。

1946年的张秀山

8月初，曾是项与年在陕甘宁边区工作时的上级领导、时为中共松江省委书记的张秀山带领省委土改工作队进驻延寿县蹲点、调查指导工作。张秀山到后，深入群众召开了多次调查会，对平安区土改试点工作提出了指示，认为“按劳分配”确实已经不适合延寿县的实际情况，如果按照这种办法分配土地，不久便将有许多劳动力强的家庭上升为中农、富裕中农，甚至小地主，而相当一大部分小孩多、劳动力少的家庭则仍然处在贫困中。他强调土地该如何分配，应该由占大多数的群众说了算，要发动群众，由群众自已想办法分田。同时对在分田过程中的清算、退租、青苗处理等相关问题也相应作出指示和决定。遵照省委的指示精神，县委、县政府召开会议，确定了“按人口平均分配土地”的原则，同时对如何分“土匪匿产”“清算地主汉奸”等问题也作出相关规定，提出了“放手发动群众，群众的自己动手分田”的口号。县委、县政府的决定和号召得到了各区的积极响应，县委县政府也在各区实践中不断修正各种措施。

平安区按着县政府分青苗“富农还本、中佃协商、贫佃收租（按减租法令）”的规定，采取了“三七”分青的办法，即原佃户为三成算作成本，新分地户为七成，这样做的结果是对新分地的贫雇农照顾得较多，侵犯了富、中农利益，不够合理。四区张油坊屯在分地中，采取按牲畜、房子间数扣回一部分地的办法，即自有房从第三间起，每多一间扣五亩地。这样一来有畜、有房较多的中农、富农所分得的地竟不够扣了，有的还得往外倒地，保障不了生活，严重不合理。

县政府及时发现了这些问题，于9月11日开会研究了纠正偏差的具体措施，把“三七”分青苗，改为“四六”分青（即新得地户为四成、原地户为六成），“三七”分粮。这样既照顾了贫雇农利益，又不损害中农、富农利益。平安区工作队按这个原则作了纠正和补偿，四区按牲畜、房子扣地的问题也得到了纠正。这时县政府根据上级指示，提出“大家斗争、大家分地”的口号，并对分地中的具体问题作了原则规定：对畏罪潜逃的汉奸、地主、匪首的土地，因无法采取斗争形式进行分地，可没收分给农民；凡是斗争对象仍在本地的，必须采取斗争的方式使地主交出土地；对地主献地一般拒绝接受，但在群众发动得比较好的部分村屯可以接受其献地；对有劳动能力的小地主，除留给他们与贫雇农一样多的土地外，多余的分给农民；对没有劳动能力的小地主，土地可不动；对大中地主同样留给与贫雇农相当数量的土地，如家无劳动力还可多留些土地；对在逃的地主，将其应分得的土地，由农会保留管理；对全家在逃的个别罪大恶极的匪首、地主则不保留土地；对那些鳏寡孤独的人与贫苦军属，如果本屯土地较多，可多分给一部分土地，土地少，则分给好地。这些规定，对当时分配土地起了保证作用[1]。

随着土改运动的深入发展，又出现了新的问题：当时一些被斗的地富、恶霸、汉奸等反动分子明服暗不服。他们软硬兼施，挑拨离间，制造矛盾，有的还拉拢干部、派人混入农会打击谋害贫雇农干部和土改积极分子。针对这种情况，项与年把“反奸除霸、反地主倒算”作为紧迫任务来抓，于是平安区处决了地主分子崔玉峰，玉河区处决了刘霸天，寿山区处决了南霸天张继武，城关区枪毙了郑霸天，长发区枪毙了东霸天……处决了民愤极大的罪大恶极的反动分子。

这样到1946年12月初，全县7万多人分得了49800垧土地，人均分得7亩多地，土改运动取得了伟大胜利。项与年领导延寿人民取得的胜利，使延寿发生了天翻地覆的变化。延寿人民积极展开了轰轰烈烈的大生产运动。以最大的人力、物力支援东北解放战争。两年中全县近千名青壮年参加了八路军。支援前线的粮草，源源不断地从延寿运至尚志火车站，为东北解放战争的胜利作出了应有的贡献。

东北翻身农民为保卫胜利果实踊跃参军

① 《延寿文史资料》第二辑，第25页。

四、奉调辽南

项与年在延寿一年多的时间里，工作和生活条件十分艰苦，每天只能吃两顿饭。在生活上他非常节俭，舍不得多花一分钱，舍不得丢掉一个饭粒。自己生病了，若谁给买点好吃的，他不但不吃反而要严厉批评，但对自己身边的同志却无微不至地关怀。谁要是生病了，他总是自己花钱买营养品送去。当时他身边一个警卫员是延寿人，父亲被土匪打死，剩下母亲和妹妹三人相依为命，生活非常艰难。项与年得知情况后便吩咐县民政部门定期给予补助。这件事直到八年后的1954年，那个警卫员才知道是项县长让组织上给予他母亲和妹妹这样大的帮助，而项与年本人却从未向他提起过。项与年从来都是这样，一心一意为群众办实事。

项与年对身边工作的同志除了生活上的关心外，在政治上更是严格要求。如对没有文化的小青年，则要求他们认真学习，帮他们制订学习计划，只要有空他总是利用晚上时间给他们讲半个小时的课，讲时事、讲政策，定期出题考试。他对身边所有的同志都有一条严格的规定，每天晚上必须抽出半小时以上时间学习报纸，了解国内外大事。没有文化的至少要通过自学，达到初小程度。例如，他身边一名警卫员，刚来时一个字不识，后来在他的严格要求下，通过刻苦自学以及后来的深造，后来成为中国人民公安大学的一名教授。这位教授常对人说：没有项与年的启蒙和严格要求，我是决不可能成为一名知识分子的。

1947年初，项与年升任松江省建设厅副厅长，驻哈尔滨。年底，松江省委决定成立南满土改工作团，团长是刘澜波，项与年任副团长，工作团成员有70多名干部组成。当时沈阳、长春、吉林都还没有解放，工作团从哈尔滨出发绕开敌占城市赶往辽南的凤城、东沟等县进行土地改革，建立根据地。这批干部为辽南土改工作的胜利进行作出了重要贡献。

据1946年至1948年一直在项与年身边工作的吕殿忠回忆：项与年生活简朴，关心群众疾苦，工作兢兢业业，对党忠心耿耿。他从延安到延寿工作时，身上穿的一件黄呢上衣和一条灰色毛裤，已磨成平板，用线缝连的窟窿大小有十几个。在他身边工作的秘书和警卫人员劝他换一套新装。他说：有的老百姓还穿不上这样的衣服呢，别看它破，只要能防寒就行。按规定“三八式”（1938年前参加工作）的干部可以吃小灶。但是项与年经常和大家同吃大锅饭菜。他对群众生活非常关心，问干部、战士吃得好不好，肚子饱不饱，生活改善了没有……当他深入群众搞调查研究时，一旦发现老百姓缺吃少穿，立即责成有关部门进行救济。城关区镇安街李大妈的丈夫因上山伐木砸断了腿，无钱医治，全家五口人（三个孩子）没有下锅的米。项与年发现这一情况后，当即通知民政部门送去救济粮款，感动李大妈泪流满面。项与年非常关心年轻人的成长，总是抽出时间给他们讲述“三大纪律、八项注意”；讲述张思德同志全心全意为人民服务的故事。

1948年5月项与年完成辽南土改工作后，奉调辽南行署任实业厅副厅长。辽宁省人民政府成立时，项与年就任省工业厅副厅长。

项与年在领导辽宁的工业工作中，非常注重调查研究，为工厂和职工解决了许多实际问题，认真贯彻党的方针政策，在恢复和发展辽宁的工业生产方面做了大量工作。

日寇在撤退时，对辽宁的工业进行过严重破坏，留下了一个烂摊子。坚决依靠工人阶级调动一切积极因素，尽快恢复和发展工业生产是人民政府面临的首要任务。项与年认真分析了形势，认为要想全面恢复工业生产，首先要抓好典型，取得经验，再以典型带全面。他选定辽南较大的桦子沟煤矿为试点，自己亲自去该矿进行调查研究。

桦子沟煤矿，原有几百名矿工，生产的煤供应附近轴承、铸造等几个大厂。日寇撤退时炸毁了这里所有的采煤坑道和铁轨。因煤矿倒闭，周围工厂没有能源，也全部停产。矿山工人凡有家可归的都回去了，无家可归的则滞留在矿上靠亲友接济，挣扎在死亡线上，项与年到桦子沟煤矿后，走访了住在低矮工棚内的家家户户，在昏暗的煤油灯下，他向工友们问寒问暖，无数矿工流下了眼泪。在进行了充分调查研究的基础上，项与年觉得燃眉之急是要解决矿工的饥饿问题，于是紧急调拨了一批救济粮分给无粮户、缺粮户。接着，项与年物色了一些苦大仇深、敢说敢干的矿工，成立了煤矿生产自救委员会，再由这批骨干将已经回家的矿工动员回来，开展生产。

1949年初的一天，初春的太阳已有些温暖了，但大地上的积雪仍有尺把厚，开展生产自救的动员大会就在桦子沟矿区的雪地上召开了。项与年在冰冷的雪地上作了一个多钟头的动员报告。他说，工人同志们，共产党来为你们撑腰来了，也就是说，你们受剥削受压迫的日子已经一去不复返了，从今天开始你们要当家做主人了！万恶的日寇榨尽了你们的血汗，在他们滚出中国的时候，还进行最后的挣扎。看，矿区的哪一寸土地没有他们留下的罪证？……矿工们激动得欢呼起来，个个热泪盈眶。

报告结束后，项与年问矿工们对党的政策有什么不清楚的地方，对恢复生产有什么好的意见，都可以提出来。矿工们争先恐后地围到项与年身旁，仔细询问各种问题：什么时候开工？谁来修机器？班组如何成立？哪一个坑道先恢复？共产党的工程技术人员来了后如何对待原有的工程技术人员？等等。项与年逐一给予详细回答和解释。他从上午一直坚持到下午，中饭也没顾上吃，直到最后矿工们都满意了，他才离开会场。

在项与年的带领下，桦子沟煤矿的生产很快恢复和发展起来了。在他即将离开煤矿的一个晚上，他又到贫困矿工家去看了看。在全矿最困难的矿工解鉴堂家，他见解的妻子生病，身体孱弱，孩子多，最大的才12岁，小的还在喂奶。解师傅请求项与年给12岁的大女儿安排工作。项与年见这个女孩又瘦又小，根本无法工作，便决定把这个女孩带回自己家中。这是项与年收养的第二个女儿，为她改名梁东，后来，梁东也成长为一名国家干部。

项与年在领导辽宁的工业生产期间，发现许多工厂由于缺乏能源无法恢复生产。为了解决能源问题，他经常废寝忘食，深入基层发动群众献计献策，当他听说有些工厂附近可以开发土煤，而土煤又可以替代部分能源的消息后，立即组织试验，后来便大力发动群众开采土煤供应工厂，较好地解决了一些工厂的能源问题，使这些工厂逐步恢复了生产。在1949年3月辽宁省的一次干部大会上，省长杜者衡表扬项与年在恢复和发展辽宁省工业工作中积极动脑筋想办法，创造性地解决了许多困难，起了大作用，立下了大功劳。并号召全省干部要像项与年那样认真地开展工作，多干实事，争取更大的成绩。

1949年底，项与年调任旅大行政公署农林厅厅长。在一年多的任职时间里，他深入农村指导农民发展林木水果生产。一次他到大连郊区指导工作时，发现当地苹果发生病虫害，群众对此束手无策。项与年心中比果农更焦急，到处查资料找办法。一天他在一张报纸上查到用纸袋将苹果包扎起来可起到一定的防治效果，就立即动员群众糊纸袋包苹果进行尝试。有的农民不相信，他就花钱为他们买纸包扎。后来证实，在当时没有杀虫药的情况下，这种土办法对防治果树病虫害确实起到了一定的作用。

五、寻找亲人

革命的艰辛和战争的残酷，使项与年一家人长期天各一方，谁也不知道谁的下落，谁也没法了解到谁的处境。项与年的结发妻子王村玉，在上海被捕入狱，他不知道；出狱后流落他乡，也不知道；小女儿随母亲蹲监狱，受尽折磨，又得了骨椎结核，因无医无药，不久病死他乡，他还是不知道。他的儿子怎么参加革命的，在什么地方工作，他也一无所知。这么长的时间音讯杳然，他以为自己的妻子、儿女或许已不在人世。

儿子项南

1931年，项与年托人把他在福建连城老家的儿子项德崇（即项南）带到上海读书。

1934年党组织派项与年到江西德安保安司令部莫雄处做秘密工作，此后妻子被捕，与家人失去联系，在上海没有家了。

在长期的革命征途中，项与年于1936年改名梁明德，他的儿子在参加新四军后改名项南。从此天各一方、杳无音讯，谁也不知道谁的下落，时间长了，他们有时也下意识地认为父亲或儿子已不在人世了。全国解放后，项与年长期惦记着自己的兄弟、孩子，曾经多方打听亲人的下落。1949年底，终于从上海的一位老乡张雪澄那里打听到儿子在安徽省做共青团的工作，他情不自禁地流下了眼泪。

据张雪澄回忆，1949年他收到一封从大连寄到“中华职教社”转给他的信，署名梁明德（后来才知道他早就改了姓名，担任辽宁省农林厅厅长），他一看字迹就断定是项与年写的。信是打听儿子的下落，他立即回信给项与年，告诉其儿子的情况。后来才明白，项与年父子彼此都不知已改名换姓，多年来各自用原来的姓名向熟识的朋友及有关方面进行打听，所以始终打听不出来，父子俩在解放后多次分别经过上海，总要来他家畅谈一番。

项与年从张雪澄那里打听到儿子在安徽皖北搞青年团工作后，喜不自禁地于1949年末打电话给老战友、当时皖北区党委书记（后任安徽省委第一书记）的曾希圣，要他帮助寻找儿子。曾希圣受老战友之托，把电报交给妻子余淑（当时在区党委机关任机要秘书）办理。

有一天，区党委召开各部委办负责人会议，会上曾希圣碰到当时任团委书记的项南便对他说：我交给你一个任务，我的一个老战友在辽宁工作，20世纪30年代他在上海丢失了一个十岁左右的儿子，听说现在在皖北搞青年团工作，请你帮我找到这个人。并告诉项南到余淑那里看一份找人的电报。

过了一段时间，在另一次会议上曾希圣问项南：上次托你找的人找到了没有？项南说他已经找过余淑同志，余淑同志告诉他已经打听了好久，问过许多人，都说不知道有个姓梁的团干部。曾希圣有点着急了，要项南认真办好这件事。

项说：这位老同志叫什么名字？

曾说：梁明德。

项说：他是哪里人？

曾说：是福建人。当时他在上海工作。

项接着说：我小时候也在上海，16岁才离开。

曾问：当时你有什么人在上海，住在什么地方？

项答：我父亲在上海工作，我们住在法租界维尔蒙路（现改名龙门路）德润里24号。

曾听后说：那地方我也待过，那是一个大老板翁旭初的家，你怎么会住到翁家的？

项答：什么原因住到翁家我也不知道，我那时到南京上尧化门小学，放假回上海短时间同父母住在一起。

曾：你在上海到哪些地方玩过？

项：同我住在一起的有一位胡子叔叔，他带我到南京路一带玩，还带我去过大世界照哈哈镜。

曾希圣听了这些回答，不禁忆起了往事：当年在上海自己曾带着一个十岁左右的孩子逛过这些地方。再仔细端详项南的相貌，眼前这位团委书记，与当年携手游玩的少年十分相似，也很像30年代的梁明德。至此，他恍然大悟，心里嘀咕着，看来这个团委书记，就是梁明德的儿子。闹了半天，要项南

1955年，项南（后右三）从上海专程去沈阳看望父亲项与年（右一）时的合影

找的人原来就是项南自己。

这时，项南也认真起来了，他仔细端详后，也认出来了，原来带他逛大世界照哈哈镜的胡子叔叔就在眼前。真是世界之大，无奇不有。

项南弄清情况后，立即给父亲写了一封信，并很快收到了父亲的回信。回信里问到儿子有什么志愿，还交代儿子接信后要安心工作，不要马上跑到辽宁来。在父亲的心目中儿子永远是孩子，他根本想不到儿子已经是一个省的团委书记，而且当了爸爸了。

分离了16年的父子虽然联系上了，但由于当时全国刚解放，父子都有自己的工作，直到四年之后，即1953年项南出席中国新民主主义青年团第二次全国代表大会，项与年才从沈阳赶到北京来相见，这时父子相隔已近20年了。

儿子找着了，逐渐与家乡亲人取得了联系，得知：

三哥项廷爵

在逆境中一心帮助他，鼓励他，带他走上革命道路的项廷爵，因为军务繁忙，社会活动频繁，积劳成疾，英年早逝。

六弟项廷纪

项廷纪是项与年最小的弟弟，出生于1906年。由于生活所迫，1928年随三兄廷爵、四兄与年在南京、上海一带生活，在他们的指导下，看了许多进步书籍，受到进步思想的影响，对他的人生观起了决定性的影响。1929年初，由于在南京一时谋不到适合的工作，加上妻子生下一女孩，也需要回家照看，遂告别二位兄长，返回乡里。时值毛泽东、朱德率领红四军入闽，开辟闽西革命根据地，家乡也成立了贫农团、赤卫队，开展打土豪分田地，建立红色政权的斗争。项廷纪毅然加入赤卫队，成为赤卫队的宣传员。后来文地村赤卫队并入池溪区赤卫队，后又上升为新泉县赤卫独立四团，他担负独立四团宣传队队长。1930年4月中旬，新泉独立四团和各区游击队联合攻打连城县城。打下县城后，项廷纪带领宣传队在县城各处刷写标语，忽遇民团反扑遭逮捕。敌人用抢托将其活活打死，分尸四块，悬挂县城四大城门，其状惨不忍睹。

妻子王村玉、女儿幺妹

在他离开上海后被捕，时年四岁的小女项幺妹随母入狱，由于狱中饥饿和生病，出狱后不久便夭折。不久妻子回到家乡耕田度日。

1956年项与年在北京和王村玉重逢相认。之后，项与年的第二位妻子吴健为了让他们家庭团圆，主动退出了与项与年的家庭，一直孤身至去世。而王村玉此后一直与儿子项南一家生活在一起，项与年在辽宁工作，两人相隔两地。

上世纪50年代中期，在北京北海公园拍摄的全家福。后排左起：王村玉、项与年、项南、项小米、汪志馨，前排左起：项小红、项小青

第七章
踏上社会主义建设征途

一、首先提出“打虎与退赃相结合”的建议

全国解放后，项与年历任东北人民政府监察委员会高级专员，辽宁省监察厅副厅长，辽宁省政协驻会常委等职，党和人民给予他很高荣誉。他在辽宁的干部群众中享有很高的威望。他满怀革命豪情，全心全意为人民工作，为社会主义革命和建设奉献自己的光和热。

1951年底，党中央根据新中国成立后党内少数干部经不起权力的考验而腐化堕落的情况，决定在国家工作人员中开展一场“反贪污、反浪费、反官僚主义”的“三反”运动。“三反”运动首先是从东北地区搞起来的。

这时身为东北人民政府监察委员会高级专员的项与年和监委会的其他领导一起，在省委的统一领导和部署下，坚决贯彻执行党中央的指示，配合省委认真扎实地开展“三反”运动。在省委动员大会之后，他们大张旗鼓、雷厉风行地进行宣传发动工作，了解各单位干部职工的思想情况。项与年认为要使全省的“三反”运动有条不紊地向纵深发展，监委会的全体同志必须首先树立榜样，带好头，正人先正己，才能取得干部群众的信任。他在监察委员会中第一个以高标准严要求的姿态，深刻检讨了自己1945年以来在浪费和官僚主义方面的一些表现，并主动退出自己曾接受过的五件礼品：一是1947年初调离延寿县时县政府送给他的一床毛毯，二是1947年底离开松江省赶赴辽南时单位赠送给他作为留念的一支派克钢笔，三是1949年调离辽南实业厅时厅里送的一块瑞士手表，四和五

1951年项与年在大连

是1951年调离辽宁省工业厅时厅里送的一件棉大衣和一吨煤。这些物品在50年前，在像他这样资格和地位的干部中实在算不上什么了不起的东西，但项与年却把它们统统作为不该收受的物品退了出来，由此可见项与年党性的纯洁和对自身标准的严格。当时在监委会他是第一个退回礼品的，在全省也是第一个。他的做法在全省党员干部中引起很大反响。对于项与年退礼品的行为当时有不少议论；有的人说他是“出风头”；有的同志不理解，认为这又不是贪污来的，没必要退，是项与年小题大做；有些人还认为如果大家都像他那样，“三反”就失去意义，会把“三反”运动搞成清理鸡毛蒜皮的运动。项与年则不管这些冷言冷语，他坚持认为在这场运动中全体干部必须言行一致，以实际行动参加进来，尤其是党的高级干部，更要以身作则起模范作用。针对省委机关干部中不少人在运动中口头认识多，一般检讨多，联系实际少，退赃少，“严”字体现不够的情况，在一次省委会议上项与年提出了“打虎与退赃相结合”的建议，得到省委重视并予以采纳。省委要求首先在省委机关内部署开展退赃活动，取得经验后再向全省推广。监委会的同志在他的带动和影响下，每个人都认真检查了自己的言行，做到有赃退赃，主动退赃。通过退赃，做到个个干干净净，人人轻装上阵，投入到社会主义建设中去。省委的问题解决之后，干部们根据党的政策，对全省运动中各类案件的审理予以指导，保证了“三反”运动的顺利进行。

项与年在“三反”运动中所提的建议和表现受到辽宁省委的充分肯定。组织上在他的《三反运动鉴定表》上是这样写的“在这次运动中梁明德（项与年）首先提出了‘打虎与退赃相结合’的建议，并带头做出榜样，从这点上可以看出他的思想水平和丰富的实际工作经验”[①]。

对于“三反”运动，项与年深有体会地说，党中央发动这场运动是十分及时的、十分必要的。现在革命成功了，容易躺在功劳簿上，容易忘记党的优良传统，容易滋长居功自傲贪图享受的思想，如果平时不严格要求，防微杜渐，就容易在舒舒服服的生活中蜕化变质，就会出大问题。

---

① 辽宁省档案馆存项与年档案。

二、决不让信访群众失望

1953年，项与年担任了辽宁省人民政府监察厅副厅长，主管群众信访工作。

多年的工作实践使项与年认识到任何一项工作的开展都离不开广大人民群众的支持，搞好群众的信访工作也同样需要他们的理解和支持。群众的信访工作是党的一项十分重要的工作，它体现了党对人民群众的关心和爱护。在监察厅里，项与年总是想群众之所想，急群众之所急，认真听取群众意见，切实为群众排忧解难、解决实际问题。他几乎是每件事都要亲自过问，别人处理了的事他也要听一下汇报才能放心。遇有群众来访，他总是为他们倒水让座，先同他们聊聊家常，解除他们的紧张心情，然后再启发他们把想要说的话毫无保留地全说出来。他总是认真听、认真记，并耐心地进行解释和劝导工作。凡是群众需要解决的问题，只要在自己职权范围内，从不拖延推诿，自己不能解决的则向有关部门反映，并敦促解决。监察厅的同事在回忆他这段工作时，总免不了说他“太认真了”。

那年头，来访群众往往钱不够用，没钱吃饭或没钱买车票回家，项与年凡是知道的总是掏出自己的工资为他们买饭、买车票，而且从不向厅里报销，使来访群众真正体会到党和政府的温暖，体会到社会主义的优越性。他常对别人说，群众来访说明他们对政府的信任，如果他们的利益没受到侵犯或没有困难，他们是不会上访的。群众上访一次不容易，我们要同情他们，不能让他们抱着希望而来却失望而归，即使他们反映的问题一时解决不了，也要让他们感到党是关心他们的，让他们通过我们的行动感受到党的温暖。

为了对症下药，项与年还经常深入基层调查研究。当时在监察厅干部中，他的年龄最大，资格也最老，身体又不好。领导为了照顾他，凡有下乡出差的任务都让年轻人去。这下他不乐意了，他坚持同年轻人一样。遇到重要案件，他一定要带上干粮、水壶深入第一线以掌握第一手资料，然后给予合理解决和处理。

在工作中，项与年要求别人做到的，自己一定首先做到，要求别人遵守的自己一定遵守。项与年的模范行动深深地影响着周围同志，大家的工作热情大大提高了，使厅里的信访工作真正做到事事有人抓，件件有落实，获得信访群众的普遍好评。

三、与莫雄久别重逢

红军长征后，项与年的许多同生共死的战友有的为国捐躯，有的仍然战斗在敌人的心脏。他时常惦念的“莫大哥”莫雄几度大难不死。全国解放后，毛泽东特意叮嘱南下广东的叶剑英要找到莫雄，安排好他的工作和生活。广东省政协成立时，莫雄被选为省政协副主席、民革中央委员，以极大热忱投入到建设社会主义新中国的战斗中。

1956年，在沈阳工作的项与年经多方打听，终于得到了分别20年后的老战友莫雄的消息。项与年喜出望外，立即给莫雄写了一信：“南昌一别，无时不在想念，今日才打听得你的消息，高兴极了。我们哪天才能胜利会面呢？……记得你身体很好！听说你的眼睛有些毛病，甚念！……我很想来广州，但现在没有机会，你有机会来东北么？我当然很欢迎。”莫雄接到信后自然也是喜出望外，很快回了信。一个月之内，他们互通了四封信，互寄了相片。莫雄在收到的相片后，在相片下方写上：“革命引路人梁明德同志。”项与年还热情邀请莫雄到东北参观社会主义建设的伟大成就，并希望老战友利用工作之便调动一切力量，做好港澳、台故旧的工作，为和平统一祖国而努力。

就在这年国庆节，项与年受中国人民解放军总参谋长李克农上将的指示，到广州接莫雄上京参观国庆典礼活动。叶剑英元帅和李克农将军分别在王府井帅府园和家里设宴招待了莫雄、严希纯、项与年三位功臣，称赞他们为革命事业作出的重大贡献，鼓励他们继续为社会主义建设再作贡献。

两位英雄久别重逢，北京相聚，畅叙分别二十年的各自经历，莫不激动、唏嘘。此后，他们两人一直保持着密切的联系。

后来在“文化大革命”中，莫雄被错误地打成“中南第一大特务”，受到关押和“劳动改造”。项与年一直关注着他的消息。1973年3月13日，项与年惊喜地发现报纸上有一则消息提到莫雄，得知莫雄还在人间，便不顾书写不便，立即给莫雄写了一封信。信中说：

“昂兄：你好，想不到在纪念孙中山先生逝世四十八周年时，我在报纸上看到了你的名字，知道你很健康，我心中非常高兴，你家里人都好吗？请代

1956年，项与年（左）与莫雄在其广州寓所前合影

我问候。已经多年没有通信了，……这些年我身体还好，只是因病讲话和写字均不方便，所以只简单写这封信给你，希望能收到你的回信。我最喜欢的那小孙孙现在多大了？他叫什么名字？以前我们和他一起照的相片还有吗？如有请寄我一张。小九好吗？现在多大了？……”

这平凡朴素的语言，简洁亲切的称谓，蕴含着多少关心，流露出多么真挚的友情！尤其在那黑白颠倒的年月，不少昔日的所谓朋友反目为仇，使多少人含冤而去。那时候能有几个真正的朋友，更谈何友情？项与年一接到莫雄的回信，又写了一信给莫雄，信中说：

“昂兄，昨天接到了你的信，甚是高兴。我把你的地址忘了，曾寄两封信都被退回了，心中甚是着急。前几天还往老家连城去打听你的地址。……将来我会去广州看看你和九姑的，……现在身体怎样？精神健旺吧！你走路不要一下走太长，走得慢一点，上了年纪了……”

这频频的书信来往，这一句句出自心扉的话语，这一份多么难得的信任，不正是两位革命老人忠实友谊的体现吗！

对于莫雄和项与年的关系，项与年之子项南同志这样说：“莫雄先生和我父亲友谊很深，30年代就经常往来。解放后，他们在北京、广州几次见面。父亲谈到莫老在江西期间对我党的支持，总是表现出异常兴奋和敬佩之情。直到他病重弥留之际，还在想方设法同莫老再见一面，可见他们的情谊之深。”这非同寻常的友谊，是两位革命老人在白色恐怖的地下斗争中相互信任、相互支持、逐步建立起来的革命情谊，这是真正的相濡以沫的患难之交。

四、坚持原则，实事求是

1957年6月，一场全国规模的群众性的急风暴雨式的反右派运动猛烈地开展起来了。但由于当时党对阶级斗争和右派进攻的形势作了过于严重的估计，对斗争的猛烈发展没有谨慎掌握，结果反右派斗争被严重扩大化，在这场运动中，项与年坚定地站在党性和党的原则立场上，同背离党的实事求是原则的错误行为进行了坚决斗争。

当时省监察厅有干部职工一百多人，厅长张金超是一个典型的东北汉子，为人正直，办事果断，特别敢讲真话。副厅长方一臣也是个爱讲真话的人，但因他有海外关系，所以办事较小心谨慎。反右派开始后，张金超、项与年、方一臣等带领全厅干部职工认真学习中央文件，进行运动的思想准备。运动开始后不久，其他厅局"挖"出了不少"右派"，监察厅却一个"右派"也没有发现。上面批评他们"右"，于是便指派监察厅另一名年轻副厅长全权负责单位的反右派斗争，并限期挖出若干名"右派"。这位年轻的副厅长将厅长张金超打成"极右派"，理由是"经常发表对党和社会主义不满的言论"；将副厅长方一臣夫妇（方的爱人也在监察厅工作）也打成"极右派"，理由是"有海外关系，里通外国"。在这种形势下，项与年旗帜鲜明地说出了自己的意见，进行了抵制，不同意把这三位同志定为右派，在公开场合和私下多次与那位年轻副厅长展开辩论，他认为这三位同志一贯热爱党、热爱社会主义，既没有"右"的言行，也无里通外国的凭据，怎么能为了完成上面布置的"任务"，凭主观想象就将他们定为"右派"呢？可那位年轻副厅长，年轻气盛，一意孤行，根本听不进他的意见。项与年决定抗争到底，直接找省长、省委书记反映真实情况，请求领导按实事求是原则办事。省委很长一段时间没有明确答复。僵持了一段时间后，那位副厅长搞不下去了，最后由省委出面宣布张厅长和方副厅长夫妇为"右派"，开除党籍和公职，进行劳动改造。项与年则由于"干扰运动、对运动认识不足"受到严厉批评并降级调省政协参事室任参事。如果不是由于他资格老，德高望重的话，恐怕当时也会被定为"右派"。对于降级另调的组织决定，他服从。但即使这样，他也没有改变自己的看法。

被开除公职的方一臣下放农村后，生活十分困难。有时回沈阳，项与年知道了总要请他吃饭，临走时再接济他一些钱和粮票。有人见此劝项与年要“注意点”，他理直气壮地说：“我怕什么，他是遭受冤枉的！”后来被错划为右派的厅长、副厅长夫妇均被改正，事实再一次证明了项与年的公正和无私。

在这次反右派运动中项与年遇到了另一个他意想不到的难题：当时他在团中央书记处任书记的儿子项南被错定为“犯了严重的右倾机会主义错误”，予以留党察看、下放劳动的处分（20年后，1979年中央正式予以彻底平反）。项与年得知这一消息后，连续几天吃不下饭睡不着觉，特意赶到北京要儿子“认罪”，要与党同心同德，绝对不要做有损于党和人民利益的事。这件事虽说明他不了解情况，又受了“左”的影响，但从这前后两件事，从为公与为私两个角度来看，项与年都表现出一个共产党员应具有的优秀品质，这就是坚持原则、光明磊落、严于律己、宽以待人。

1960年2月，周恩来、邓颖超在海南三亚接见项与年（中排左一）等人合影（照片局部）

在政协工作期间，项与年坚持党的统战政策，与民主人士相处得非常好，民主人士也愿意向他反映意见，如驻会常委刘鸣九、鲁穆庭（二人原是张学良部下）、王里环、朱慕陶等民主人士因担心自己过去的历史，不敢说自己想说的话，做事极其谨慎小心。项与年知道后主动找他们谈心，并及时把他们的意见反映给有关领导。项与年还鼓励他们大胆提意见，不要担心，不要顾虑重重。他说，只要胸怀坦荡，就不怕半夜鬼敲门。

1964年春，他一再要求下乡参加“四清”运动（清账目、清仓库、清财物、清工分），领导只好同意他去辽宁法库县双台子公社七家屯大队蹲点。在他下乡的短短几个星期中，他就发现这个大队的“四清”中有阶级斗争扩大化现象。比如说：有一个生产队的会计，因为文化水平低，做账方法不对，账面差错了几百元，工作队就认定是贪污，要他退赔。这个会计怎么也不承认贪污了几百元，但又说不清道理。工作队中的个别人还主张以“态度不老实”为理由定他为“四不清分子”。项与年到来后，帮刘会计认真清查账目并让社员帮他对账，结果差错部分理顺了。然而他也确有手脚不大干净的事实，在项与年的动员下，他立即退赔这部分钱，事后工作队决定免去其职务，但不戴贪污帽子。从这件事出发，项与年指示工作队一定要实事求是，按政策办事，而不能随心所欲，犯扩大化错误。

五、艰苦朴素，无私助人

新中国成立后，党和人民给予项与年的经济待遇是优厚的，他的工资在当时省委干部中是最高的。20世纪50年代，在福建老家有他的同胞兄弟、亲生儿子，他没给他们什么钱，却每月上交很高的党费，一般在40元以上，有时多达100元，是全省干部中交党费最多的人。

项与年非常乐于帮助解决同志的困难。当时监察厅一位炊事员家在农村，孩子多而且年龄小，家中很困难，项与年知道后每月接济他家30元，一共接济了三年多时间。他还资助过汽车司机，邻居等。他在农村搞调研时，如果遇到群众有实际困难，只要自己口袋里有钱就一定会掏出来帮助他们。

他每次出差总是把车票撕掉，不向公家报销或领取补贴。当人家不解地问他："你为什么不把车票拿去报销？"他总是说，党给我的已经够多了，我又不缺钱花。后来很多人回忆说："那时项老除了知道车票可以乘车外就不知道还有报销这一说。"

按他当时的行政级别和工资待遇，项与年完全可以而且有条件穿好一点的衣服、买好一点的用品。然而他冬天穿的仍是20多年前在上海因特科工作需要而买的一件皮夹克，这件夹克跟他从上海到延安再从延安到东北，已破旧得不成样子了。棉裤和棉被是从延安带过来的，没有一件像样的家具。在北京的儿媳妇见他每次到北京老穿那件皮夹克，就笑着对他说："解放这么多年了，大家的生活都改善了，你也该穿得整洁些，老这么寒酸，怎么体现社会主义的优越性呢？"他笑着回答说："年轻人穿

1962年项与年在大连

好点应该，过去我们出生入死都是为了后代呀。中国虽然解放这么多年了，但大部分人的生活还不富裕，我是上了年纪的人，又不是出国去当大使，将就点就可以了。”

他的宿舍里唯一的装饰就是几盆兰花。他特别喜爱兰花，因为兰花虽没有争奇斗艳的外貌却有沁人心肺的幽香，默默地把自己的芳香奉献人间。别人到他宿舍见他的摆设是那样简朴，总免不了要说：“项老，要‘武装’一下啰！”他总是说：“我可不是‘武装部长’，我这样已经比过去强多了！”

他不但自己艰苦朴素，还经常教育身边的同志要勤俭节约，艰苦奋斗。他见邻居家的主妇用火柴很浪费，一盒火柴没几天就用完了。他耐心地教她用拇指和食指夹紧火柴横着划，不要竖着划，要用手掌挡住风以免被吹灭，火柴划着后用废纸助燃，这样一盒火柴就可以用很长时间。

平时他总是和机关同事一起去食堂买饭吃，难得和家人开一次伙。上街买水果，他总是拣便宜的买。到北京出差、开会，他常常舍不得花钱坐车，而是借一辆旧自行车来回骑。亲友们劝他：“你都这么大年纪了，骑自行车怎么行？北京这里车多，骑车也不安全。”他说：“年纪大了更要锻炼身体，只要细心，骑车也是安全的。”

1959年，项与年回到阔别几十年的故乡福建连城。他的家乡距县城40多公里，约有20公里修通了公路可以行车。县里给他派来保卫人员和小车，他谢绝了，坚持翻山越岭步行回家，中途在朋口公社食堂吃午饭，食堂特地为他杀了一只鸡，他一点也没动。回到家后，他到处访贫问苦，到烈军属家问寒问暖。那时全村人还挤在一个食堂里分饭吃，家家户户的妇女或小孩都提着一个小谷箩子和一个小壶，按人口每人分得不足三两（145克）熟饭、一碗米汤和一丁点儿素菜。项与年不知在饭堂里转了多少回，看着一个个村民脸黄肌瘦，食不果腹的样子，心酸地流泪了。

临回沈阳前，项与年把食堂的司务长、炊事员找来开了一个座谈会，吩咐他们一定要对群众关心、热情，千万不要为自己谋私利。还把自己口袋剩下的500元钱全部掏给了司务长，让他们拿去买点牲畜饲养，以便逢年过节时，给乡亲们改善一下生活。

在故乡，项与年看到家乡还很穷，一到晚上山村一片黑暗时，心里很不是滋味。回到辽宁后，立即倾其所有积蓄购买了一台40千瓦的发电机赠送给家乡公社，后又捐款几千元为公社办了发电站。在建站过程中，他得知电站缺少的一根转动轴在福建买不到时，又在沈阳买好托运回去，终于使公社电站及时竣工投入使用。从此以后，家乡的人民用上了电灯。此外，他还通过做工作使有关单位赠送给当地公社三台汽车发动机和一批电话线。当地群众深受感动。

六、关心教育事业

1959年项与年回到故乡期间，对当地小学情有独钟，每天都要走上几遍。小学建在一座祠堂里，上课的一间教室设在牛寮隔壁，牛粪的臭气不时冲入窗户，用谷箕遮挡，夏天热得透不过气，冬天冷得直发抖。一至四年级的近二十个学生全集在这间破旧屋，只有一位教师采用复式教学，一年级上完布置作业，再上二年级、三年级、四年级，天天如此。他心里急，但也无济于事。村里群众温饱尚缺，党和国家困难，拿不出钱来办学，这样的学校在农村太多太多……

1961年，一位高中毕业待转正的青年人余乃义被调到这里任教，从家乡到文地20多华里，崎岖山路足足要走两个半小时，面对如此的教学环境，很不安心，想打报告要求调动，思想斗争十分激烈。无奈中得知这个村有一位声誉极高的老革命项与年，他抱着试试看的心情，把这些想法向老前辈倾诉倾诉，于是寄出了第一封信。从此这位青年与革命老前辈结下了深厚情谊，在长达六年的时间书信来往不断。

项与年收到他的信后立即给这位素不相识的青年复了信，信中说："你9.29写的信，今天收到。你说你在这山区单人校坚持工作，克服困难，还要从工资中帮助书费、学杂费交不出的学生垫付。你这种舍己为人、舍私为公的共产主义品德，真是难能可贵的无产阶级革命接班人的好品德，我很感动。但是另方面，我想你的工资有限，仅够你生活费用，都集中你一人身上，会影响你的生活，会耽误你的工作，也解决不了问题，这并不是解决问题的好办法。最好是用积极方法帮助学生和家长勤俭持家，破除迷信，用尽各种节省办法交学杂费，例如书可抄、本可代。教育学生钱从劳动中来得之不易，比较好的家庭也劝他不要太突出影响困难学生……"同时寄回一张剪报，标题是《山区文化的播种人》，边角上写了他的眉批字："乃义同志，我看了这篇文章很感动，转给你参考，我看比文地条件困难多了，但也有相似之处，你也是和张瑾瑶同志一样都是党和毛主席派来办学的，任务是何等伟大呀！祝你成功！"

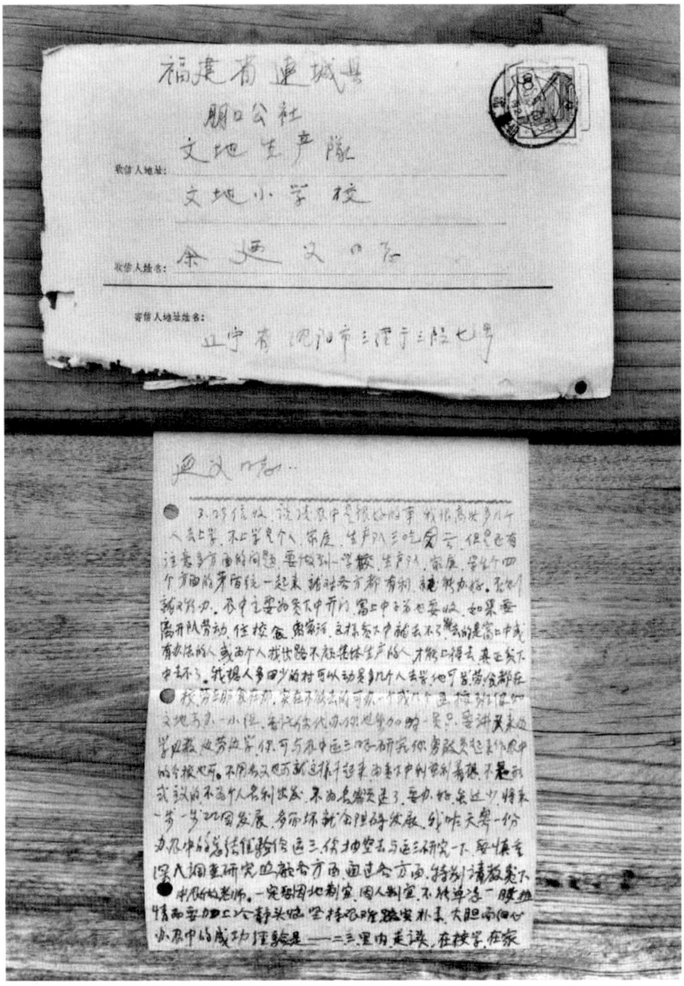

项与年给余乃义的其中一封信

项与年的回信，给了余乃义极大的鼓励，不安的心里终于平静下来，决心在这里好好干。从此，书信来往不断，不断收到给他寄来的报纸上刊登有关办学、优秀教师事迹的报道，还给他寄了《毛泽东选集》甲、乙两本书。信中多次对他说："先改变自己的思想面貌，进而改变学生的思想面貌，思想即精神，思想精神改变好就能改变物质（学校）。"

1965年，中央按照毛主席"教育与劳动生产相结合"的指示，要求从各地解决农村的千百万青少年就学着眼，多办农业中专和农业中学，大力开办农业干部技术训练班等工作。朋口公社也办起了半工半读的初级农中。

得知这个消息后，项与年多次写信给余乃义：他说："办农中是很好的事，我很高兴，要多几个人去上学，不上学是个人、家庭、生产队三吃亏。但是还要注意多方面的问题，要把学校、生产队、家庭、学生四个方面的矛盾统一起来，就对各方都有利，否则就难办。农中主要为贫下中农开门，富裕中农也要收，人多地少的村可能动员多几个人去学。也可学、劳、食都在校，劳在那，食在那，实在不能去的可办函授班组，如文地可办一个小组，与农中的项运三同志研究，你勇敢地担负起来。……我昨天寄一份办农中的总结经验给运三，你抽空与运三研究。"

在项与年的谆谆引导下，余乃义热心文地教育事业，一干就是八年，他努力学习，不断创新，总结出"一人办校多年级复式的经验"，1965年获得优秀论文奖，并在全县教师大会上发言。先后被评上地、县先进教师，出席了福建省学习毛主席著作积极分子会议。

第八章
在“文化大革命”中

一、参加串联

1966年史无前例的"文化大革命"开始了。这场"大革命"是毛主席发动和领导的，所以项与年满腔热情地投入到运动中去。

开始他也认为这场运动是"反修防修的重大措施"和"锻炼造就千百万无产阶级革命事业接班人的途径"。毛泽东八次接见红卫兵，他感到欢欣鼓舞，对红卫兵小将羡慕不已。嗣后，全国红卫兵免费吃饭、乘车进行革命大串联，项与年也认为这是锻炼革命后代的好机会。

1966年11月，北国已是千里冰封、万里雪飘的时节。项与年看见一队队、一批批的红卫兵"重走长征路"，步行到北京、延安、井冈山、瑞金……便按捺不住内心的激动，决心和红卫兵一样徒步串联。这一消息被辽宁省实验中学的红卫兵知道了，"红旗战斗队"的队长朱学武等人欣喜若狂，他们热情欢迎这位老红军老革命参加他们的串联队伍。

一天，项与年穿上草鞋、背起军被、肩挎军用水壶、腰扎武装带走入了红卫兵串联的行列。当省委知道时，他已走出70多公里了。省委立即通知省政协派车把他接回来。政协文史办公室主任郭伯平和干事甘思源、杨占林乘上吉普车飞驶赶去，一直追到辽中县的一个红卫兵接待站，才找到项与年。郭伯平等人向他转达了省委领导的指示："项与年年过古稀，不要长途跋涉。"项与年劈头就是一句：你们是不想让我"革命"了。经再三解释无效，他们只好向红卫兵交代要好好照顾和保护好项老，路上如发生什么紧急情况，如何同省联络站联系，等等。交代好后，吉普车向沈阳开回去，项与年和红卫兵继续向北京进发。

一路上，项与年和红卫兵一样兴高采烈，精神抖擞，总是乐呵呵地对红卫兵小将讲革命传统，教育他们要继承先烈们的遗志，做又红又专的共产主义接班人。每到一地住宿，他总是扫地、打铺、打水，晚上睡觉总要不时地起来看看这些"小兵"们有无蹬被，就像父亲对自己的孩子一样关心。经过两个多星期的艰苦行军，他和红卫兵终于到达北京，在一个接待站住了下来。在北京期间，他真不敢相信，大标语、大字报铺天盖地，到处是"揪出""打倒”“牛鬼蛇神”“叛徒”“特务”的大字报。他心里纳闷，难道共产党内真有这么多“叛徒”“特务”？如果有这么多“叛徒”“特务”，中国革命的胜利又如何解释呢？难道“文化大革命”就是揪这些“叛徒”“特务”？

二、横遭厄运

1967年元旦刚过，厄运终于降临到项与年的头上。

一天，项与年正在街头漫步沉思，忽然两个红卫兵赶过来，叫他马上回去，说有急事，项与年心急火燎地赶回驻地。一到驻地，原来那些十分和气的面孔一下子全变了，红卫兵们个个眼冒怒火，似乎要把他烧掉一样。正当他感到万分诧异之时，一个姓肖的红卫兵头头把一张传单递过来，以十分愤怒和蔑视的口气对他说，你先看看吧！他接过传单一看，醒目的标题是“揪出叛徒项与年！”他的脑子顿时“嗡”了一下，真不能相信自己的眼睛，传单竟然是冲他来的。再往下看，“早在30年代项与年就被敌人逮捕过，为保全狗命，投降变节……”只见他嘴唇微微颤动着，心中怒火冲天，但面对这些还不太懂事的孩子，他能说什么呢？他只能强压怒火，十分严肃地对他们说：“这是谁写的？我的历史，组织上最清楚，延安审干时就有结论。你们不要相信这些胡编乱造。”但他万万没想到，这番话对这些“革命”小将不但起不了作用，反而被认为这是一个隐藏了几十年的叛徒、特务老奸巨猾的抵赖、原形毕露的表白。有个红卫兵干脆吼了起来：“你不要狡赖，我们红卫兵是不会冤枉好人的！”项与年心中万分悲愤，心想跟他们肯定说不清楚，只好在晚上只身跑到亲戚家去了，连背包也没带。

不久，他的原单位、省监察厅的红卫兵组织发出通牒，限他按时赶回单位接受群众批判，不得“逍遥法外”。在他回到沈阳时，“揪出打倒项与年”的大字报铺天盖地向他袭击，接着便是一场连一场的批斗。红卫兵把他的夹克、衣服拿来改做成叛徒特务的服饰形状，让他穿上接受批斗，真是人不像人、鬼不像鬼，身心俱受凌辱。无休止的批斗严重摧残了他的身体。由于年老体弱、加上心中的愤闷，在一次批斗中，他一头栽倒在地上，导致了严重的中风失语症，并复发了高血压、肺结核等疾病。这以后，他便只能用手势来表达意思了。任凭红卫兵怎样折磨咆哮吼叫，他再也不能吐露半个字。事已至此，一位红卫兵头头看出情况不妙，才急忙为他找亲属。这时他的儿子项南已被揪到农村隔离审查，红卫兵赶去告诉项南单位的军管会说：“他父亲已经丧失生活能力，请你们问他儿子该如何处理？”他的儿子回答：“由组织决定！”后来这位头头又说出实话：“他父亲病危，要他去看看。”听说父亲病危，儿子也就顾不了许多，向军管会请了假，赶到沈阳。这时项与年已在医院急诊室躺了四天四夜，滴水未进，也无人看管。项南来后与父亲同吃一份饭，一个睡在病床上，一个睡在地板上，就这样度过了两个多月。项与年的病稍好后，项南就返回北京继续接受审查。项与年也从医院出来住到北京一个亲戚家。

当时北京正在深挖“刘、邓、陶”，由于项与年曾与刘少奇在北方局有过工作联系，专案组多次找项与年了解所谓的情况。他患了失语症，专案组的人每次来他都用手势比画着“我什么也不知道！”那时他的莫逆之交莫雄在广州也被打成“中南第一大特务”，专案组要他揭发莫雄。他用手势对专案表达他的意思：“莫难在历史上对党和人民是有贡献的。”此外，上海、南京、天津、西安等地的专案组也来找他调查。面对这没完没了的调查和纠缠，他气愤之下于1969年在亲戚罗克泉的护送下回到连城老家。

“文化大革命”期间，他和吴健收养的矿工女儿梁晓东（大学毕业后在吉林日报社工作）也受到严重迫害，以“改名换姓”“篡改个人历史”“混入党内”等罪名，被开除党籍，下放劳动。

三、多情的土地

经过大半个世纪的颠沛奔波，在项与年横遭厄运倍感凄凉之时，依然是家乡，这个贫穷如初然而多情的土地、生他养他的土地再一次接纳了他。

项与年回到故乡后，故乡人民对他所遭受的种种诬陷和折磨深表不平和同情，他们仍以自己心中的天平尊敬他，热情对待这位在泥土中成长起来的传奇式英雄。县革命委员会决定先用县招待费安排他的生活，后又安排他到县敬老院居住，安排县医院医生为他治病。但由于山区县城医疗水平落后，他的疾病未见好转。

项与年没有料到的是，他虽然回到这交通不便的山区小县，仍摆脱不了那无休的政治纠缠。1970年至1971年，又先后来了几批“军宣队”“工宣队”和专案组，向他了解所谓王光美、张瑞华（聂荣臻元帅夫人，1933年在上海特科工作）等人的“历史问题”。只要见到这些人，他就什么也不说，来人只好灰溜溜地离开。

1971年秋，福建省革命委员会副主任许亚来闽西连城检查工作，看到闽西大多山区县几乎全是黑灯瞎火，唯有朋口镇像颗夜明珠，晚上似繁星点点，非常好看。许亚诧异地向当地干部询问，当地干部告诉他这是一位老革命的奉献，并汇报了这位老革命现在的情况。许亚听后深为感动，表示一定要去看望这位老革命。见面后，他得知项与年患有多种严重疾病时，非常同情，当即用他的车把项与年送到福州金鸡山疗养院治疗。

一年多以后，项与年的病情稍有好转，便又一再要求回到连城。75岁高龄的他，除了接受亲属项新崇、项发崇的经常照顾之外，拒绝别人的照顾，自己住到朋口公社的一间不到十平方米的旧木房里，自己用煤油炉煮饭吃，自己洗衣服。当时原单位只发给他每月30元生活费，生活过得非常艰苦。平时他是个闲不住的人，经常这里走走，那里看看。他见当时学校教学工作不正常，学生学不到什么知识，深感忧虑，经常语重心长地对教师们说：你们要多负起责任，不要随大流，否则会毁了这一代的！

四、雪化终见松高洁

1972年，辽宁省革命委员会经过反复审查，认定项与年是一位久经革命考验的老战士、老英雄，历史上没有变节，决定恢复其党籍、恢复名誉，推倒了强加在他身上的“叛徒”“特务”等罪名，并为他补发了几年来被扣发的全部工资。他听到这一消息后，几夜没睡好觉，逢人便说共产党的伟大和英明。

当他接到从万里之遥的原单位寄来的补发的几千元工资时，心中万分激动，他感谢党一直没有忘记他。他想到的第一件事就是到邮电所给原单位组织部门汇去1500元，作为补交几年来的党费。第二件事便是执意捐资5000元修建朋口到莒溪的公路，当地领导实在不忍心收下这笔钱，他就把这钱捐给了当时正在兴建的莒溪水库，而自己仍然过着俭朴清贫的生活，就连身上的衬衣都没有换，还是那件补了又补、穿了多年的破衬衣。

1973年邓小平回到中央后，逐步落实党的干部政策。项与年在北京的许多老同事、老部下向中央组织部反映，请求把他接到北京来治病，并把他的

1973年，项与年（中）在福州与亲人合影

1977年项与年在龙岩疗养时留影

户口也迁入北京。他被接到北京小汤山疗养院治疗休养，几个月后病情就好转了。家乡那个贫穷的小山村好像有一种神奇的力量在召唤他，病刚刚好转，他就谢绝了组织和同事们的再三挽留，又回到了那个生他养他的小山村。他说不愿给组织上添麻烦。

1976年是中国历史上的多事之年：1月敬爱的周恩来总理不幸逝世；7月朱德委员长去世；9月毛泽东主席又逝世了。巨星陨落，全国人民都很悲痛。思维和表达都已十分困难的项与年听到噩耗后，泪如雨下。他虽然身在山村，却无时不惦念着党和国家的命运。当他听到中央一举粉碎“四人帮”反党集团的好消息时，脸上露出久没见过的笑容。然而好消息对于这位老人来说到来的太迟了。他已经历尽沧桑，再也走不远了。他的病势日益严重起来，不得不到福州去疗养，以后又转到龙岩地区第一医院接受治疗。1978年10月2日，他与世长辞，终年82岁。

在龙岩地委为项与年举行的遗体告别仪式上，地委和行署的领导同志都发表了无限深情的讲话。项与年的亲属汪志磬、项新崇、项发崇等为这位不平凡的老人送行。

1978年11月7日，辽宁省在沈阳为项与年举行了隆重的追悼会，中共辽宁省委，省革委会、省政协，中共福建省委、龙岩地委、连城县委等送了花圈，项与年生前友好习仲勋、黄火青、罗青长、周子健、马宾、黄植等送了花圈。习仲勋满怀深情地发了一千多字的唁电。时任辽宁省委第一书记的任仲夷等省委领导、群众代表、家乡代表及家属吴健、项南、汪志馨、项雷、项小米等参加了追悼会。追悼会由省委常委陈一光主持，省政协副主席、省委统战部

1978年10月，中共辽宁省委为项与年（梁明德）举行追悼会现场

1978年10月，中共龙岩地委为项与年举行追悼会现场

项南（中）在追悼会上手捧父亲的骨灰。右一为项与年在延安时期的夫人吴健

长章岩致悼词。

悼词说，项与年从青年时代就参加了孙中山先生领导的资产阶级民主革命活动。1925年加入中国共产党，参加革命50多年来，一贯忠于党、忠于人民，勤勤恳恳，努力工作，为夺取新民主主义革命的胜利，为社会主义革命和社会主义建设事业，作出了贡献。

根据项与年生前希望死后能与故乡人民在一起的遗愿，1992年10月17日中共龙岩地委副书记、组织部长谢克金、中共连城县委副书记黄海英专程前往沈阳，将项与年的骨灰接回龙岩，于11月9日安放在闽西革命公墓。在安放仪式上，谢克金说：项与年同志为中国革命，为家乡的建设作出了巨大贡献，他将永远活在家乡人民的心中。

今日福建连城县朋口镇文坊村

项与年年谱

1896年

农历三月二十三日，出生于福建省连城县文地村，父母为他取名项廷椿。父亲项仕豪务农，母亲黄文珍操持家务。

1905年

父母将项廷椿及未婚妻（童养媳）王村玉一起过继给堂叔项仕杰。养父项仕杰是晚清汀州秀才案首，通医术，开有药店。

1911年

与童养媳王村玉结婚。

1917年

过继后不久，养父母便生一子，养母对项廷椿的态度发生根本变化。他受不了冷遇，于1917年只身来到北平，找到在军界任职的三哥项廷爵，并改名为项与年。不久随三哥去南京、上海。在上海做贩纸生意，亏本。

1919年

在上海目睹了轰轰烈烈的五四运动。

1921年

参加建国粤军，任第二军第一梯团的副官，并加入中国国民党。

1922年

三哥项廷爵在上海病逝，项与年失去引路人。

1924年

年初，协助浙江纵队司令王亚樵在浙江三门县训练一千多新兵，江浙战争时任代理大队长，后到广州被李烈钧委任为闽赣先遣队队长。

1925年

春，随同事宣政来到杭州。秋，由宣中华和何赤华介绍加入中国共产党。在浙江海宁县硖石小学何赤华的宿舍里举行了入党宣誓仪式。12月下旬，随同参加国民党二大的宣中华到广州。

1926年

1月，拜访了中共广东区委负责人，东征军总政治部主任周恩来及其夫人邓颖超。在拜见国民党中央海外部长彭泽民时，宣中华把项与年推荐给彭泽民，准备派去南洋开展工作。不久，海外部秘书、中共海外总支部负责人许苏魂正式派项与年赴印尼的东加里曼丹工作。项与年到南洋后建立了中共三马林达支部，任支部书记，并建立了生瓦生瓦等五个国民党分部。

1927年

在巴厘巴板组织华侨华工举行五一纪念大会并发表演说，会后举行了游行，荷兰殖民者粗暴干涉并逮捕项与年，引起生瓦生瓦惨案发生。10月被荷兰殖民当局驱逐回国。回国后即为生瓦生瓦惨案进行呼吁。

1928年

春天，在上海担任复炎学校校长。不久同上海中央特科的李逢源接上党组织关系，正式进入中央特科工作。

1929年

8月参与营救彭湃等同志，未成。11月参加惩办叛徒白鑫的行动。

1930年

策划暗杀蒋介石，因蒋有事临时改变行程而未实现。

为了获取情报，建立起很多社会关系，上至电影明星胡蝶、阮玲玉，下至流氓黑帮，并结识了蒋介石的老友莫雄。

这一年的春夏间，项与年的直接领导由李逢源改为刘子华，负责一个秘密联络点的工作。

1933年

项与年的直接领导由刘子华改为王世英。王世英把他全家迁到中央机关所在地居住，并安排他的妻子看守机关电台。

1934年

3月底，王世英派项与年到莫雄担任司令的江西赣北第四区保安司令部任情报参谋。

9月底，莫雄参加蒋介石在庐山牯岭召开的绝密军事会议，项与年把莫雄带回的绝密“围剿”计划亲自送到瑞金周恩来手中。为此他敲掉自己的四颗门牙，装成乞丐。这一情报对促使红军尽快长征有重要意义。

红军长征后，刘子华让项与年从上海带两名爆破队员去南昌执行爆破任务。计划炸掉德安铁路桥破坏南浔铁路及炸毁南昌飞机场油库。因一名队员是奸细向敌人告密致他在南京下关码头被捕。由于他机智勇敢，巧妙地与敌人周旋，最后在南昌地下党员傅肖先、丘吉夫等的帮助下逃出虎口，被组织上授予“反敌特斗争胜利”奖。

1935

进行营救方志敏的工作，未成。后被派往香港做西南方面的抗日反蒋工作。

妻女在上海被捕，失去联系。

1936年

年初组织上要他从香港经上海到天津。2月他到天津与陈雷接关系时将自己的名字由项与年改为梁明德。4月南汉宸通知他组织上调他去西安做西北军、东北军上层人物的统战工作。西安事变后，担任中央和华北联络局之间秘密交通一年。

1937年

妻女获释，不久女儿幺妹夭折，项与年不知道。

1938年

年初，八路军西安办事处处长伍云甫把他的关系介绍给中组部，到延安后被送进抗日军政大学第四期第五大队学习。这期间他听说江青要和毛泽东结婚，便和原上海中央特科的不少同志一起写信加以反对。

年底，转入中央军委参谋训练队学习。

1939年

秋，入中央党校三十五班学习

1940年

春，被分配到陕甘宁边区党委统战部任干事。

1941年

4月，调任三边（定边、安边、靖边）分区党委常委兼统战部长，地委书记为白治民。

1942年

4月，调任关中分区党委常委兼统战部长，分区党委书记习仲勋。

1943年

由于和妻子王村玉早已失去联系，以为已不在人世，4月经组织同意，同地委机关干部吴健结婚。6月奉调中央党校二部参加整风学习。

1944年

从延安保育院领养了一个烈士后代，为女儿取名梁西。

对照检查写《自传》。

1945年

日本投降。10月2日，随三五九旅向东北开进，去创建革命根据地。

1946年

1月25日，随三五九旅老七团、老八团解放松江省延寿县。2月经民主选举为延寿县县长。领导全县人民进行了剿匪斗争和土地改革运动。

1947年

年初，调任松江省建设厅副厅长。

年底，任南满土改工作团副团长，赴辽南进行土地改革。

1948年

5月，奉调辽南行署实业厅副厅长。辽宁省成立时，就任省政府工业厅副厅长。

1949年

年底，调任旅大行署农林厅厅长。

1950年

任东北人民政府监察委员会高级专员。

1951年

年底，“三反”运动开始。第一个提出“打虎与退赃相结合”的建议，受到省委的肯定。

1953年

任辽宁省监察厅副厅长，分管群众信访工作。

1956年

中国人民解放军副总参谋长李克农请项与年到广州去接莫雄到北京，并请他们登上天安门城楼参加国庆典礼活动。李克农在王府井帅府园设宴招待，叶剑英元帅在家中设宴招待，项与年都参加了。

1957年

在反右派斗争中，项与年比较实事求是，敢于向省委及时反映情况，对扩大化的做法敢于提出不同意见。

1959年

回到阔别几十年的故乡连城县文地村，看到乡亲们食不果腹的情景，拿出身上的500元钱给大家伙食。回辽宁后，买了一台40千瓦的发电机送给家乡公社，并捐款几千元为公社办发电站和架电话。

1964年

参加了“四清”运动，发现“四清”运动中有扩大化现象，要工作队按政策办事。

1966年

“文化大革命”开始，他认为意义重大。11月随红卫兵从沈阳步行到北京，要“重走长征路”。

1967年

元旦后，看到有关自己的大字报。回到沈阳后，接受批斗、身心受到摧残，导致严重的失语症。

1969年

在亲戚罗克泉陪同下回到故乡连城。

1971年

秋，福建省革委会副主任许亚接他到福州金鸡山疗养院休养、治病。

1972年

辽宁省革委会推翻了“叛徒”的不实之词，恢复了他的党籍和名誉，补发了工资。

1973年

补交党费1500元，捐资5000元修建故乡的莒溪水库。

因脑梗、失语症由组织安排到北京小汤山疗养院治疗。

1976年

“四人帮”反党集团被粉碎。病势日重，到福州疗养，后又到龙岩第一医院治疗。

1978年

10月2日，与世长辞，终年82岁。11月7日，辽宁省在沈阳为其举行隆重的追悼会。生前友好习仲勋、黄火青、罗青长、周子健、马宾、黄植等发了唁电并送了花圈。时任辽宁省的党政领导任仲夷、陈璞如、胡亦民、刘步云、王光中、张庆来等参加了追悼会。

附　录

在项与年同志追悼会上的悼词

章　岩

今天我们怀着十分悲痛的心情，深切悼念梁明德（项与年）同志。

梁明德同志原是辽宁省第三届政治协商会议委员，驻会工作，“无产阶级文化大革命”中遭受林彪、“四人帮”残酷迫害，于1978年10月2日病重医治无效，在福建省龙岩逝世，终年82岁。

梁明德同志是福建省连城县人，农民出身，从青年时代起就参加了孙中山先生领导的资产阶级民主革命活动。1925年加入中国共产党，参加了革命工作，由党组织派往荷属东印度等地，担任党的支部书记，从事发展党员建立党的组织进行秘密革命工作。1927年回国后，在中央联络局白区工作部的直接领导下，先后在上海、广州、香港、南京、北京等地担任上海与苏区、陕北与北方局的秘密交通，从事军委情报工作。在长期艰苦秘密革命的斗争中，梁明德同志对党忠实，对敌斗争坚决，对工作积极认真负责。在此期间，因内奸告密曾被敌人逮捕入狱，梁明德同志在敌人威逼利诱下，立场坚定，英勇机智，表现了一个共产党员的高贵品质，曾受到上海党组织给予的“反敌特斗争胜利”的奖励。1938年到延安后，长期从事党的抗日民族统一战线工作，历任中共西北局统战干事，中共三边地委、关中地委、绥德地委常委兼统战部长。1945年抗日战争胜利后从延安到东北，历任松江省延寿县县长，松江省建设厅厅长，辽宁省工业厅副厅长；旅大行署农林厅长、旅大市农林局长；东北人民政府人民监察委员会高级专员；辽宁省监察厅副厅长等职务。

梁明德同志是中国共产党的好党员，参加革命50多年来，忠于党、忠于人民，勤勤恳恳、努力工作，为夺取新民主主义革命的胜利，为社会主义革命和社会主义建设事业，做出了贡献。梁明德同志对伟大领袖和导师毛主席、对敬爱的周总理和朱德委员长怀着深厚的无产阶级感情，对伟大领袖和导师毛主席的无产阶级革命路线坚决拥护，对林彪、“四人帮”的干扰和破坏表现了无比痛恨。梁明德同志在林彪、“四人帮”死党及其在辽宁的党羽、亲信的残酷迫害下，肉体上受到严重摧残，1969年回到家乡时，已丧失了说话的能力，只能以手势表达自己的意思。当他听到伟大领袖和导师毛主席、敬爱的周总理和朱德委员长逝世消息时，表现万分悲痛；当他听到党中央一举粉碎“四人帮”的伟大胜利时，他表示了无比高兴，衷心拥护党中央的英明决策。梁明德同志回到家乡之后，继续保持和发扬了革命老干部的继续革命精神和光荣传统，谦虚谨慎，联系群众，艰苦朴素，把自己节约攒下的工资贡献给人民公社发展水电事业。他处处关心集体事业，关心群众疾苦，在广大干部和人民群众中留下了深刻的印象，享有较高的威望。

梁明德同志的逝世，使我党失去了一位老党员、老同志，我们要化悲痛为力量，学习他的继续革命精神，彻底揭发批判林彪、“四人帮”的罪行，肃清其流毒和影响，为本世纪内把我国建设成为四个现代化的伟大的社会主义强国而奋斗！

（1978年11月7日）

给中共连城县委的复信

罗青长

2月12日来函悉。经查我部有关材料，现将梁明德同志从事革命活动的一些情况函告如下：

梁明德（项与年）同志，福建人，早年的中国共产党党员。1933年，梁在上海中央军委做情报和上层联络工作，由王世英同志领导，有时刘子华同志亦领导，梁在上海开辟了一部分工作，建立了许多社会关系，对党在上海的秘密活动有很大的功绩。

1933年至1935年，军委工作的主要任务是配合红军反对国民党对苏区的几次围剿。派了大批同志到江西工作，在南昌、九江、德安均建立了地方党组织和据点，并计划对国民党进行军事破坏，炸铁路桥梁、飞机场、仓库等。为此，专门办了爆破训练班，因爆破训练班混入了奸细，致使梁明德同志被捕。梁被捕入狱后，很快识破敌圈套，善于应付敌人，经德安专员莫雄（与我党有工作关系，做了很多工作，有贡献，解放后任全国政协委员，已故）营救出狱。以后仍在华北联络局工作。1935年党又派梁明德到香港开辟西南方面工作，因未接上关系，又返回。1937年梁明德同志在西安做地下工作，由吴德峰同志领导，以后回延安抗大、党校学习。后又到北平做地下工作。

梁明德同志长期从事党的情报工作和统战工作，当年常活动于上海、福建、广东一带。在做党的秘密工作期间表现好，很机警、细密、社会经验丰富，工作能力亦强，生活上能吃苦，在延安学习很有进步。是经过党长期考验，政治上可靠的好同志。

关于梁明德同志是否营救方志敏同志，我们的材料没有具体提到。但据王世英同志称：方志敏同志被捕后关在南昌的百花洲监狱里，他活动了监狱的书记官并派他的爱人带密信及遗嘱到上海找党的关系，并要求立刻营救他。还要求买一汽船去。那时正是1935年7月上海大破坏后，情况混乱，经济十分困难，而且时间也不允许，因为买到汽船还得有船照，还得有理由开到江西，事实上是不可能的，于是才决定派“红队”去营救。派了一个队，都有江西人，准备了化装逃跑的东西，计划与监狱里面的关系配合起来，抢出监狱，出狱后化装农民逃往乡下。后报载方志敏同志已就义。去营救的同志可能已回地方工作。

1985年3月22日

项与年在1934—1936年一段的历史*

王世英

1933年刘子华向我转交项与年同志的组织关系，当时项与年以党的关系分配了工作（他的妻子也调进驻机关）。他在长期工作中表现很好，对党忠实，对工作细致负责，在生活上非常刻苦。他在南洋那一段革命活动，是以国民党名义出现的，但那时是国共不分，一般国民党部的工作都是共产党领导。他还保存有在南洋开展革命活动时的一套报纸照片作证明。

1934年，中央特科计划破坏敌人的交通命脉南浔铁路，炸毁德安铁路桥和南昌飞机场。因此在上海办了一个爆破训练班，学员由地方上选送。是年秋，在毕业的学员中挑了两个，介绍给项与年带去，到南昌后再分配任务，同时为了保密，在临行前向爆破人员介绍说项与年不是共产党员，是可靠的同情者。他们三人由上海上船时已被敌人跟上，轮船在南京下关码头停靠时，项与年就被捕了。被捕后敌人审讯时，项坚决不承认自己是共产党员，说是国民党员并有证明，因不满国民党现状而同情共产党。后又被转押到另一个地方，项与年发现被选派的两个爆破队员中有一个是国民党派出来的奸细，因此他知道这是被捕的原因，即一方面消极应付敌人，一方面设法与上海取得联系，通知党注意保密。后来敌人仍把他们送到南昌，企图以此来对我们进行大破坏，但项与年到南昌后，即秘密通知小张到上海报告。小张那时也在德安专署做秘密工作，是组织上派去的。

当时中央特科认为如果项与年在敌人处应付久了就会被敌人怀疑，因之决定要他尽快趁机逃出。很快项与年就跑到德安专署驻南昌办事处隐蔽起来，经小张等人的帮助，才化装脱险逃跑掉的。经长沙、武汉回到上海，就与我接上关系。在上海经过审查，并住了一个短时期，怕不安全，就派项与年到香港去，因为香港的组织有问题，没有接上关系，以后又写信要他到天津，此

* 摘自王世英 1955 年 10 月 24 日接见项与年历史调查组的一段讲话。题目为编者所加。

时特科领导机关因上海环境恶劣已搬到天津。因我要去陕北向中央汇报工作，所以未来得及等项与年到天津就出发了。我走后是由南汉宸同志与他接的关系。

项与年在这次被捕后，同敌人进行了机智勇敢的斗争，从而打垮了敌人的计划，保存了所有的组织关系，当时组织上夸奖了他、表扬了他。这个老同志在长期艰苦斗争中，一贯对党忠诚，对革命事业忠心耿耿，是一个十分难得的好同志，尤其是在关键时刻，充分体现了他的机智勇敢。

牯岭会议

莫 雄

1933年10月我在上海闲居无聊，便到江西南昌找薛岳，薛当时任江西“剿共”部队第二路军总指挥。早在广东驱逐龙济光时期，我与薛已认识，后来他任张发奎部下的旅长，在张联合李宗仁、陈济棠“反蒋”失败，薛离开张，蛰居香港，这时，薛岳先后受到广东陈济棠、广西李宗仁以及南京蒋介石的邀请，但未作出到哪方面去的决定，正踌躇间，我在港见到薛岳，他问我应到哪方面去为好？我劝他到最有发展前途的地方去。广西地瘠人穷，广东地方狭小，而南京长江一带，正是鲲鹏展翅之所，大有可为。薛听从我的话，即到南京依附蒋介石。蒋没有实践他给薛任第五军军长的许诺，只给他副职，薛甚失望，打算离开，我见到他，又劝他忍耐等待。不久，薛果然飞黄腾达，一跃而为蒋手下反共的悍将。这时，我去找他，他对我极其客气，招待我住在南昌第二路军总指挥部办事处内。几个月后的一天，我在百花洲花园，遇到杨永泰，杨见到我，十分高兴，即邀我到他家里，在他家见到陈布雷、陈方子、罗坤强等八名他的机要秘书，我也认识他们的。杨要我住在他家，这个家就是他的办事处，他在二楼办公，从不让别人进去的，但对我却特别客气，任我自由出入。我又在此住了约一个月。一天，杨亲热地与我谈话。说知道我对蒋介石很好，表示愿意替我向蒋“搭线”；他告诉我，现在江西分区成立“剿共”保安司令部及行政督察专员公署，他准备推荐我担任专员和保安司令。我当即表示感激。过两天，杨带来蒋介石给我的委任状和组织表，一份是江西第四区保安司令委任状，一份是江西第四区行政督察专员委任状。再看两份组织表，都是空白的。我说：“杨公啊！承你介绍，让我当上了这两个官，可是怎么一个人也不给我呵？”杨永泰笑着说：“我一个人都不介绍给你，你自己去找吧！”言下之意，是对我极大信任。他还递了一张三千元大洋支票给我，说是“蒋委员长亲自批的”，似要我向蒋感激知遇之恩。当我走出杨永泰住宅时，心里很不平静。我想：世界上哪有这样便宜的事？把官送到手里，还把钱送来，蒋、杨为什么如此厚待我呢？无非是想我为他们的反革命卖命。难道用三千元就能收买了我吗？我倒觉有些反感。我又想到，现在让我做“剿共”的官，就是做刽子手去屠杀共产党，屠杀工农，我若出卖良心依了他们，我岂不成了孙中山的叛徒？这正是我深恶痛绝之事。但委任状已接了，怎么办呢？我产生一个强烈的念头，我何不趁这机会，让共产党来当这个“剿共”保安司令的家吧！蒋介石“剿共”，我就保共、通共。我想起在上海认识的几个共产党员，于是我立即到上海，找到严希纯、刘哑佛、项与年等几个共产党员朋友，将两份委任状及组织表交给他们看，并告知经过。我说：“我相信孙中山三大政策，这是可以救国强国的，而蒋介石反共‘剿共’是要亡国的。蒋自称是孙中山的信徒，但做的却是叛徒的事，我岂能为虎作伥。我对你们共产党人很佩服，相信共产主义能够救中国，你们说应该怎么办呢？”严、刘等人听后，互相对看一番，没有立刻答复。我见状，则更加明确地端出自己心事说：“你们不讲，让我讲，我要用蒋介石的拳头打他自己。你们把这两份东西拿回去和上级商量研究，假如信得过我莫雄，请你们派些人来与我一同干吧！我当司令，你们来当我的部下，蒋要‘剿共’，我要剿蒋。”他们听罢，十分高兴。由严希纯接过我的委任状，并将两份组织表带走了。1934年3月底，我负责的江西第四区“剿共”保安司令部以及江西第四区行政督察专员公署的班子，在上海地下党的研究安排下组成了。保安司令部副司令由胡毅、陈修爵担任，参谋长卢志英（又名卢涛，1948年牺牲于南京雨花台），情报参谋项与年，情报组长贾绍谊（又名贾作，解放后曾任四川长寿县狮子招待所所长），专署主任秘书刘哑佛，专署文教科科长阮退之（解放后任广东省文史研究馆馆员），主任科员薛代旦（曾任中共广东顺德县县委第一书记，组织被破坏后逃到上海），科员丘镛（烈士），科长傅肖先（解放后任江西省政协副主席）等人。这都是中共上海党组织研究商讨后派来的。组织表上介绍的几十名同志，大多数是共产党员，除了项与年、刘哑佛两人外，其余我都没有见过。他们和我很快就到江西就任。其中陈修爵副司令不知什么原因，很快又由上海地下党调走了，我到德安后江西省主席熊式辉拨三个保安团给我。德安这地方位于南浔铁路中段，按蒋介石说法，这里是红军活动最“猖獗”的地方。我就任后，在司令部内秘密活动的党组织马上与当地红军及苏维埃政权取得联系。在共产党的巧妙安排下，我的“剿共”部队也真煞有介事地与红军“打”了几仗。结果是“击溃”红军，“消灭”了当地苏维埃政权。不到六个月，我所辖的地区共军已“绝迹”了。事实上红军部队，奉令转移到别处打击敌人，苏维埃政权转入地下，我将“剿共”捷报不断送达蒋介石，蒋派人调查，认为“属实”，非常高兴。给我以“通报表扬”“传令嘉奖”“考成第一”。

蒋介石对我也不是完全放心的，他派一个在南昌行营的军统特务谢也夫到我司令部及专署内任联络长官。这是个心狠手毒的家伙。他到德安后，一个年轻的女共产党员不知怎么被抓到，关在一间房间里，这位女党员，坚贞不屈，宁死不向敌人投降。在一个晚上用蚊帐布扭成绳索系在房梁上，自杀身死。对这狠毒的特务谢也夫，我司令部及专署内的共产党员都分外警惕和小心。刘哑佛则主动与谢也夫周旋，整日好酒好菜去请他，并投其所好和他谈天说地，吟诗作对，刘哑佛俨然是一个文质彬彬的书生。谢看不到什么可疑之处，解除了对刘的疑心。同时谢也夫知道我和蒋介石、杨永泰的交情，因而也不敢怎样放肆。只是常在司令部及专署行来踱去。人们对他非常讨厌。

我在专署，一切工作均交由项与年、刘哑佛、卢志英等办理，做得十分干净利落，其他的党员我也与之接触。项、刘等常和我讨论中国革命的各种问题，分析当前形势和世界各国与苏联的情况，使我更加了解革命的意义，更坚定了革命信念。上海的严希纯不时到我司令部作客，项与年、刘哑佛、卢志英等秘密与之会晤。他又往来于南昌、南京之间，非常忙碌。我却不知他干什么?

1934年蒋介石进行第五次反革命“围剿”已有一年，10月初，他通知江西、湖南、湖北、河南、山东五省主席，各部队司令、军长、高级参谋等到庐山牯岭开军事会议。这是一次绝密会议，研究如何加速“剿灭”苏区根据地的军事部署，我因“剿共有功”，“考成第一”而被蒋介石特邀参加。会议在极端森严和保密之下进行的。蒋亲自主持会议，具体事项由蒋南昌行营秘书长、行营第二厅厅长杨永泰负责。会议打算开一个星期，具体策划和进一步贯彻其所谓“铁桶围剿”的方针，这是由法西斯德国顾问提出来的。计划用一百五十万大军，包围以瑞金为中心的革命根据地，采用突然包围的方法，包围半径距瑞金为三百华里。地图上划分了编了号的格子。某个部队、某个单位，在何时何地必须到达包围地点，某个格子所规定的位置，然后按照任务马上布上铁丝网，构筑火力网及碉堡等，一俟包围完成后，便按命令每日向瑞金中心推进一点七华里左右。每推进一华里，布上一重铁丝网，每十华里筑一道碉堡线。碉堡位置使得它们的火力将构成极为密集的交叉封锁网。计划每月向纵深地带进迫50华里，三十重碉堡线。每道铁丝网之间的防守，也要求十分坚固。要设立大量碉堡、地雷阵，如情况变化，用大量美国军用卡车调运部队。“围剿”中的火力布置、粮草、交通、电讯、医疗、药物、弹药等都有详细的部署。在包围未形成以前，派十二个师的兵力与红军纠缠，迷惑红军，争取包围部署时间；包围圈一形成，这十二个师随即撤离。而且在会议前几个月已经在德安一带可以看到大量铁丝网运来了。各个部队装备也大加改善。美制军用卡车一千辆也已运到了。事实上这次“铁桶围剿”的军事部署，在会议前早已准备了。

会议文件很多，足有三四斤重。内有包围表、计划书、指示命令等几十份，还有蒋介石的语录、指示汇编及其他小册子，文件上都打有蓝色的“极秘密”印记，并按名单编了号码。

会议开了一个星期，结束时，蒋介石致闭幕词，向与会者打气，说：“现在‘剿共’大业，已握胜券，望各方面负责人积极执行会议决策，毕其功于一役。”等等。在场的二百多反共军事头子，个个气势汹汹，纷纷发誓要在这次“铁桶围剿”中“剿灭红军”。他们欢喜得太早了。散会后，我返到德安保安司令部，征尘满面，来不及梳洗，便召集刘哑佛、卢志英、项与年到办公室。屏退卫兵，并上房门，把文件给他们看。他们飞快地看了一个多小时才看完。三人交换了眼色后，刘哑佛问我：“大哥！你说怎么办？”我说：“还有怎么办的？这样危急，你们马上拿去送给中央。”他们一齐站了起来，异口同声而诚恳地说：“我们代表党感谢您！”他们的话，引起我心头一阵激动。随后他们即指定项与年将这些绝密文件送到南昌我保安司令部后方办事处，找到几个精干的年轻的地下党员，将文件的主要部分全部密写抄录并马上发电报给党中央。然后将稿件全部焚毁，将抄录的密写文件由地下党同志藏在鞋底，化装成老百姓千方百计送瑞金党中央。两个星期以后，党中央率领红军开始了轰动世界的二万五千里长征。

（摘自《广州史资料》第31辑莫雄撰写的
《我与中国共产党合作的回忆》一文）

后 记

项与年生活在一个风云激荡的战斗年代，一直做着鲜为人知的地下工作。职业革命家肩负的特殊使命，不仅需要机智勇敢，多谋善断，还需要韬光养晦，不露头角，默默奉献自己的一生，这就不能不给后人收集他的有关史料造成很大的困难。

上个世纪在中共福建省委、龙岩市委和连城县委原书记林仁芳的大力支持下，在老一辈革命家黄火青、王世英、洪学智、白治民、特别是国家安全部原部长罗青长等同志的关心和帮助下，许多湮没了半个多世纪的重要史料得以重新整理出版，许多困难也较顺利地得到克服。并于1997年7月由人民出版社出版发行了《山路漫漫——项与年的革命生涯》。在此，我们向他们表示最崇高的敬意。

时隔20年，本书出版发行后得到许多老同志的关注和纪念，并陆续再提供一些资料及图片。该书现由中共党史出版社修订再版。这次再版的《项与年革命生涯》，作者根据所收集的图片资料，在原有作品中做了一些增添，以使本书内容更加翔实可靠。

在本书再版过程中，我们对参与原书资料收集、调查核实的张展文、谢济堂、李元健等同志，以及在本次再版提供图片资料和大力支持的曾海泉、黄克龙、吴红梅、余乃义等同志，对中共连城县委党史研究室提供的帮助和支持，在此一并表示深切的谢意。

著者

2017年7月